COLLECTION
FOLIO ESSAIS

Jared Diamond

Pourquoi l'amour est un plaisir

L'évolution de la sexualité humaine

Traduit de l'anglais (États-Unis)
par Claire Guéron

Gallimard

Cet ouvrage a été originellement publié par Basic Books,
New York, en 1997, et, en langue française,
par Hachette Littérature en 1999.

Titre original :

WHY IS SEX FUN ?

Jared Diamond, d'abord biologiste de l'évolution et phy siologiste, enseigne actuellement la géographie à l'université de Californie, à Los Angeles. Il a notamment publié aux Éditions Gallimard *Le troisième chimpanzé (Essai sur l'évolution et l'avenir de l'animal humain)* et *De l'inégalité parmi les sociétés*.

Effondrement a reçu en 2007 le Prix du livre sur l'environnement, décerné par la fondation Veolia Environnement.

À Marie,
ma meilleure amie,
parente, amante, et femme.

Préface

La sexualité est une question préoccupante. Nous lui devons nos plaisirs les plus intenses, mais elle est aussi source de profonds désespoirs, dus pour la plupart aux conflits qui opposent les hommes et les femmes, tels que l'évolution les a façonnés.

Ce livre propose des hypothèses concernant l'évolution de la sexualité humaine. La plupart d'entre nous ne savent pas combien les pratiques sexuelles des hommes diffèrent, comme le démontrent les scientifiques, de celles des autres animaux, y compris nos ancêtres simiens les plus proches. Des forces d'évolution bien précises ont dû agir sur nos ancêtres pour nous rendre aussi différents. Quelles furent ces forces, et en quoi sommes-nous vraiment si bizarres ?

Comprendre l'évolution de notre sexualité présente un intérêt en soi, et peut aussi nous aider à comprendre d'autres caractéristiques des sociétés humaines, comme la culture, le langage, les relations familiales, et la maîtrise des outils. Alors que les paléontologues attribuent généralement le développement de ces traits à la taille du cerveau et à la station debout, je soutiendrai que notre sexualité particulière contribua tout autant à les faire apparaître.

Parmi les aspects singuliers de la sexualité humaine, je citerai la ménopause féminine, le rôle de l'homme dans la société, l'intimité de l'accouplement, sa fonction de plaisir plutôt que de procréation, et le fait que le sein féminin grossisse avant même d'être sollicité par l'allaitement. Pour le profane, ces caractères semblent presque trop naturels pour appeler une explication. Ils se révèlent pourtant plus difficiles à justifier qu'il n'y paraît à première vue. J'examinerai aussi la fonction du pénis et la raison pour laquelle les femmes, mais non les hommes, allaitent leurs nourrissons. Les réponses à ces deux questions paraissent d'une évidence affligeante. Pourtant, ces simples questions recèlent des problèmes qui restent encore source de perplexité.

La lecture de cet ouvrage ne vous enseignera pas de nouvelles positions amoureuses, ni ne vous évitera les désagréments et les douleurs des règles ou de la ménopause. Elle ne rendra pas moins pénible la nouvelle que votre conjoint vous trompe, néglige votre enfant, ou vous néglige au profit de celui-ci. Mais ce livre vous aidera peut-être à comprendre ces sensations, et le comportement de votre bien-aimé(e). Et si vous comprenez les sources de comportements sexuels qui vous nuisent, vous pourrez peut-être prendre du recul et gérer plus intelligemment vos instincts.

Des versions précédentes de certains chapitres sont parues sous forme d'articles dans les revues *Discover* et *Natural History*. C'est un plaisir pour moi que de reconnaître ma dette envers de nombreux collègues pour leurs commentaires, et pour nos discussions. Je remercie aussi Roger Short et Nancy Wayne pour leur lecture attentive du manuscrit, Ellen Modecki pour les illustrations, et John Brockman pour son invitation à écrire ce livre.

Chapitre premier

UN ANIMAL AUX MŒURS
SEXUELLES ÉTRANGES

Si votre chien avait votre cerveau et qu'il savait parler, et que vous lui demandiez ce qu'il pense de votre vie sexuelle, sa réponse vous étonnerait peut-être. Cela donnerait à peu près ceci :

Les humains sont vraiment dégoûtants, ils s'accouplent n'importe quel jour de la semaine ! Barbara propose à John de faire l'amour même quand elle sait parfaitement bien qu'elle n'est pas fertile : juste après ses règles, par exemple. John veut s'accoupler tout le temps, sans se soucier de savoir si ses efforts ont la moindre chance d'aboutir ou non à un bébé. Plus répugnant encore : Barbara et John ont continué d'avoir des rapports sexuels pendant qu'elle était enceinte ! Et chaque fois que les parents de John viennent en visite, je les entends eux aussi s'accoupler, bien que la mère de John ait dépassé depuis des années ce qu'ils appellent la ménopause. Maintenant elle ne peut plus faire de bébés, mais elle veut toujours avoir des rapports sexuels, et le père de John n'y trouve rien à redire. Que d'efforts gâchés ! Et voici le plus étrange : Barbara et John, comme d'ailleurs les parents de John, s'enferment dans la chambre à coucher pour s'accoupler, au lieu de faire ça devant leurs amis comme tout chien qui se respecte !

Pour comprendre la réaction de votre chien, il faut vous défaire de vos préjugés d'être humain concernant un comportement sexuel normal. Aujourd'hui, nous estimons que c'est faire preuve d'étroitesse d'esprit et d'intolérance que de dénigrer la différence. Chaque forme d'intolérance est associée à un « isme » à bannir : racisme, sexisme, eurocentrisme, phallocentrisme. À cette liste de péchés en « isme », les défenseurs de la cause animale ajoutent maintenant le péché d'« espèceisme ». Les critères que nous appliquons à l'étude de la sexualité sont particulièrement tordus, « espèceistes », et anthropomorphiques parce que la sexualité humaine est tout à fait anormale au regard des 30 millions d'autres espèces animales qui peuplent le monde. Elle est également anormale au regard des millions d'espèces de plantes, champignons et microbes que compte le monde, mais je n'étendrai pas la discussion à ce champ plus vaste car je n'ai pas encore réussi à surmonter mon propre zoo-centrisme. Ce livre cherche simplement à éclairer certains aspects de notre sexualité à la lumière du comportement d'autres animaux.

Nous commencerons par examiner la sexualité des mammifères, qui comprennent environ 4 300 espèces, dont la nôtre. Pour la plupart, elles ignorent la famille nucléaire, constituée d'un couple d'adultes, élevant ensemble leur progéniture. À l'inverse, chez beaucoup d'espèces de mammifères, mâles et femelles adultes sont solitaires, en tout cas pendant la saison des amours, et ne se rencontrent que pour l'accouplement. Ainsi, le mâle n'a aucun contact avec sa progéniture ; le sperme est sa seule contribution à la vie des jeunes et de sa partenaire temporaire.

Dans les espèces qui vivent en groupes, comme les lions, les loups, les chimpanzés, et beaucoup d'équinidés, on ne trouve pas en général de couples au sein de la horde, troupe, meute, ou bande, et rien n'indique qu'un mâle adulte donné reconnaisse ses propres petits. Par exemple, il ne montre pas plus d'empressement auprès des uns que des autres. Si bien qu'il a fallu attendre les tests récents d'ADN pour que les zoologistes, qui étudient les lions, les loups et les chimpanzés, soient en mesure de déterminer quel mâle a engendré quel petit. Cependant, comme toutes les règles générales, celle-ci souffre des exceptions. Le mâle prend soin de sa progéniture chez les zèbres, chez les gorilles polygynes avec leurs harems de femelles, chez les gibbons qui vivent en couples, et chez les tamarins, où deux mâles composent le harem d'une femelle polyandre.

Les accouplements des mammifères qui vivent en groupes se déroulent généralement au vu des autres membres de la troupe. Par exemple, une femelle macaque de Barbarie en œstrus s'accouple avec tous les mâles adultes de sa troupe et ne fait aucun effort pour dissimuler chaque accouplement aux autres mâles. L'exception à ce principe de sexualité publique la mieux documentée se trouve parmi les troupes de chimpanzés, où un mâle adulte et une femelle adulte peuvent partir s'isoler quelques jours, ce que les observateurs humains désignent par le terme de « consortship ».

Cependant, la même femelle, qui s'accouple dans l'intimité avec un consort, peut aussi s'accoupler en public avec d'autres mâles au cours du même cycle ovulatoire.

La plupart des mammifères femelles disposent de différents moyens pour signaler la brève phase du cycle sexuel qui correspond à l'ovulation et donc à la période où elles sont fécondables. Le signal peut être visuel (par exemple, la bordure du vagin vire au rouge écarlate), olfactif (l'émission d'une odeur caractéristique), auditif (elles font des bruits), ou comportemental (elles s'accroupissent devant un mâle adulte et exhibent leur vagin). Les femelles ne sollicitent des rapports sexuels qu'en période fertile ; les autres jours, elles sont sexuellement peu ou pas désirables aux yeux des mâles du fait de l'absence de ces signaux stimulateurs, et elles repoussent les avances de tout mâle qui se montrerait tout de même intéressé. Ainsi, le plaisir n'est en aucun cas la motivation première de l'activité sexuelle, ou du moins n'est-il pas dissocié de sa fonction procréatrice. Mais cette règle admet des exceptions manifestes, par exemple chez les bonobos (chimpanzés pygmés) et les dauphins.

Enfin, on n'a pas constaté de ménopause systématique chez la plupart des populations de mammifères à l'état sauvage. Par ménopause on entend l'interruption rapide de la fertilité, suivie d'un temps de vie non négligeable. Au contraire, la fertilité des mammifères sauvages diminue de manière progressive, ou même persiste jusqu'à la mort.

Comparons maintenant ces traits de la sexualité des autres mammifères à ceux de la sexualité humaine, dont voici les caractéristiques principales :

1. La plupart des hommes et des femmes dans la plus grande partie des sociétés humaines vivent un jour ou l'autre une relation à deux durable (« le mariage ») que les autres membres de leur société reconnaissent comme un contrat comportant des obligations réciproques. Les partenaires ont des rapports sexuels répétés, surtout, ou exclusivement, l'un avec l'autre.

2. En plus d'une union sexuelle, le mariage est un partenariat permettant d'élever à deux les enfants issus de l'union. En général, le mâle participe aux soins de sa progéniture autant que la femelle.

3. Bien que formant un couple (ou à l'occasion un harem), un mari et une femme (ou des femmes) ne vivent pas (comme les gibbons) en couples solitaires, dans un territoire exclusif qu'ils défendraient contre d'autres couples, mais en société, au milieu d'autres couples avec lesquels ils coopèrent économiquement et dont ils partagent le territoire communautaire.

4. Les partenaires d'un mariage s'accouplent dans l'intimité, plutôt qu'en présence d'autres êtres humains.

5. L'ovulation humaine est dissimulée plutôt qu'affichée. C'est-à-dire que la brève période de fertilité des femmes, qui correspond à l'ovulation, est difficile à détecter pour leurs partenai-

res sexuels potentiels comme pour elles-mêmes. La réceptivité sexuelle d'une femme se prolonge bien au-delà de sa période fertile pour englober la quasi-totalité ou même la totalité du cycle menstruel. Ainsi, la plupart des accouplements humains ont lieu à des moments impropres à la conception. C'est-à-dire que la sexualité humaine sert davantage au plaisir qu'à l'insémination.

6. Toutes les femmes qui dépassent la quarantaine ou la cinquantaine subissent la ménopause, une interruption complète de la fertilité. Ce n'est pas le cas des hommes : bien qu'ils puissent connaître des problèmes de fertilité à tout âge, il n'y a pas d'âge particulier pour ces problèmes ni d'interruption complète.

L'existence de normes implique la violation de ces normes : on considère qu'un état de fait constitue une « norme » simplement parce qu'il est plus fréquent que son contraire (la « violation » de la norme). En parcourant les deux pages précédentes, le lecteur a certainement envisagé des exceptions aux soi-disant règles générales que j'ai énoncées, mais celles-ci restent valables en tant que règles générales. Par exemple, même dans les sociétés qui reconnaissent la monogamie dans leurs lois ou leurs coutumes, il y a beaucoup d'activité sexuelle préconjugale, extra-conjugale, ou encore sans relation durable : il y a des aventures d'un soir. Cela dit, la plupart des êtres humains ont aussi des aventures qui durent plusieurs années ou plusieurs décennies, alors que les tigres et les orangs-outans n'ont que des liaisons d'un soir. Les tests génétiques de paternité, mis au point au cours du dernier demi-siècle, ont montré que la majorité des enfants américains, britanniques et italiens ont effectivement pour géniteur le mari (ou le petit ami stable) de leur mère.

Le lecteur aura peut-être réagi à l'énoncé de la monogamie humaine, car il est vrai que le terme de « harem », que les zoologistes appliquent aux zèbres et aux gorilles, vient d'un mot arabe désignant une institution humaine. Oui, beaucoup d'humains pratiquent la monogamie en série. Oui, la polygynie (l'union simultanée et durable d'un homme et de plusieurs femmes) et son homologue la polyandrie (l'union simultanée et durable d'une femme et de plusieurs maris) sont légales dans quelques pays ; en fait, la polygynie était admise par la plupart des sociétés humaines traditionnelles avant l'apparition d'institutions d'état. Cependant, même dans les sociétés polygynes, la majorité des hommes n'ont qu'une femme à la fois, et seuls les hommes particulièrement aisés ont les moyens d'acquérir et d'entretenir plusieurs femmes simultanément. Les grands harems qui viennent à l'esprit en entendant le mot *polygamie*, comme ceux de récents monarques arabes et indiens, ne sont possibles que dans les sociétés qui se sont constituées en états très tard dans le cours de l'évolution humaine, permettant à un petit nombre d'hommes d'amasser de grosses fortunes. Ainsi la règle générale tient toujours : la plupart des adultes dans la plupart des sociétés humaines vivent à un moment donné une relation durable, souvent monogame aussi bien en pratique que légalement.

Le lecteur a peut-être également été étonné par la description du mariage humain comme partenariat où les parents élèvent à deux les enfants issus de l'union. Pour la plupart des enfants, la mère est plus présente que le père. Les mères célibataires constituent une part non négligeable de la population adulte dans certaines sociétés modernes, même s'il leur était autrefois plus difficile d'élever leurs enfants dans de bonnes conditions. Mais encore une fois, la règle générale tient : la plupart des enfants ont un père qui s'occupe d'eux, en leur prodiguant surveillance, éducation, protection, nourriture, logement et assistance financière.

Tous ces aspects de la sexualité humaine — le partenariat, l'activité parentale exercée conjointement, la proximité des autres couples, le caractère intime de la sexualité, l'ovulation cachée, la réceptivité sexuelle prolongée de la femme, le plaisir comme motivation première de l'acte sexuel, et la ménopause féminine — constituent ce que l'on considère comme la sexualité normale. Les pratiques sexuelles des éléphants de mer, des souris marsupiales ou des orangsoutans, si différentes des nôtres, nous excitent, nous amusent, ou nous dégoûtent. Leurs vies nous paraissent bizarres. Mais ce n'est après tout qu'une interprétation « espèceiste ». Par rapport aux autres 4 300 espèces de mammifères et même à nos plus proches parents, les grands singes (le chimpanzé, le bonobo, le gorille, et l'orang-outan), c'est nous qui sommes bizarres.

Cependant, je me livre là à quelque chose de pire encore que du zoo-centrisme. Je suis en train de tomber dans un piège encore plus étroit qui est le mammo-centrisme. Paraissons-nous plus normaux si l'on nous juge selon les critères qui s'appliquent à d'autres animaux que les mammifères ? Les autres animaux présentent effectivement un éventail de comportements sexuels et sociaux plus large que celui des seuls mammifères. Alors que les jeunes, chez la plupart des mammifères, bénéficient de soins maternels mais non paternels, le contraire est vrai pour certaines espèces d'oiseaux, de grenouilles et de poissons, où seul le père s'occupe de sa progéniture. Le mâle est un appendice parasite soudé au corps de la femelle chez certains poissons des fonds des mers ; il est dévoré par la femelle aussitôt après l'accouplement chez certaines araignées et autres insectes. Alors que les êtres humains et la plupart des autres mammifères engendrent plusieurs fois, les saumons, les pieuvres, et bien d'autres espèces animales pratiquent ce qu'on appelle la reproduction « big-bang », ou la monoreproduction : un unique effort reproducteur, suivi de la mort programmée. Le mode de reproduction de certains oiseaux, grenouilles, poissons et insectes (ainsi que certaines chauves-souris et antilopes) ressemble à un club de rencontres : en un lieu traditionnel, baptisé « lek », plusieurs mâles établissent chacun une base, d'où ils rivalisent pour attirer l'atten-

tion des femelles qui viennent visiter le site ; chacune d'entre elles se choisit un partenaire (souvent
celui-là même sur lequel s'est porté le choix de
nombre de ses congénères), s'accouple avec lui,
puis part élever, sans son assistance, le fruit de
cette union.

Parmi les autres espèces animales, on peut en
citer quelques-unes dont les pratiques sexuelles
rappellent les nôtres par certains aspects. La plupart des oiseaux européens et nord-américains
forment des couples qui durent au moins une
saison de reproduction (dans certains cas toute
la vie), et où le père, aussi bien que la mère,
prend soin des petits. Si la plupart de ces oiseaux
se distinguent de nous dans la mesure où les
couples s'approprient chacun un territoire exclu
sif, la plus grande partie des oiseaux marins nous
ressemblent en plus par le fait qu'ils s'accouplent
et se reproduisent au sein d'une colonie, à proximité de leurs congénères. Cependant, tous ces
oiseaux diffèrent de nous dans la mesure où
l'ovulation est apparente, la réceptivité des femelles et l'acte sexuel se limitant principalement
à la période fertile qui correspond à l'ovulation ;
l'accouplement n'a pas de caractère ludique, et il
y a peu ou pas de collaboration entre les différents couples. Les bonobos (chimpanzés pygmés)
nous ressemblent ou se rapprochent de nous par
les aspects que je viens de citer : la réceptivité
des femelles s'étale sur plusieurs semaines du
cycle ovulatoire, l'accouplement a un but principalement ludique, et il existe un certain degré de
collaboration entre les différents membres de la

bande. Cependant, les bonobos ne connaissent pas l'organisation par couples, l'ovulation cachée, où la reconnaissance et la prise en charge des jeunes par le père. La plupart, ou peut-être toutes ces espèces, se distinguent de nous par l'absence d'une ménopause féminine bien définie.

Ainsi, même une vision non mammo-centriste confirme l'impression de notre chien : c'est nous qui sommes bizarres. Nous nous émerveillons devant l'étrange reproduction « big-bang » des paons et des souris marsupiales, mais le comportement de ces espèces rentre largement dans le cadre des variations normales du comportement animalier, et nous sommes en fait les plus étranges de tous. Les zoologistes « espècéistes » élaborent des théories sur ce qui a conduit les hypsignathes monstrueux, chauves-souris de l'Ancien Monde, à mettre au point leur système de reproduction en lek ; mais le mode de reproduction qui appelle une explication, c'est le nôtre. Pourquoi sommes-nous devenus si différents ?

Cette question se pose de façon encore plus pressante si nous nous comparons à nos parents les plus proches parmi tous les mammifères de la planète, à savoir les grands singes (que l'on distingue des gibbons ou des petits singes). Les plus proches de tous sont les chimpanzés et les bonobos d'Afrique, dont nous ne différons que par 1,6 % de notre matériel génétique nucléaire (ADN). Presque aussi voisins sont le gorille (2,3 % de différences génétiques avec nous) et l'orang-outan de l'Asie du Sud-Est (3,6 % de différences). Nos ancêtres ont divergé il y a « seulement » sept millions d'années des ancêtres des chimpanzés et des bonobos, il y a neuf millions d'années des ancêtres des gorilles, et il y a quatorze millions d'années des ancêtres des orangs-outans.

Cette durée peut sembler considérable à l'échelle d'une vie humaine, mais ce n'est qu'un clin d'œil à l'échelle de l'évolution. La vie existe sur terre depuis plus de trois milliards d'années, et les grands animaux complexes à coquille dure se sont divisés en groupes différenciés il y a plus d'un demi-milliard d'années. Pendant la période relativement brève où nos ancêtres ont évolué séparément de nos cousins les grands singes, nous n'avons divergé que faiblement, et sur peu de points importants, même si ces faibles différences (surtout notre station debout et notre plus grand cerveau) ont donné lieu à des distinctions de comportement considérables.

Avec la posture et la taille du cerveau, la sexualité complète le trio des différences décisives entre les humains et les grands singes. Les orangs-outans sont souvent solitaires, les mâles et les femelles ne s'associant que pour s'accoupler ; en outre, les mâles se désintéressent complètement de leurs rejetons. Un gorille mâle rassemble autour de lui un harem composé de quelques femelles, et s'accouple avec chacune d'elles à plusieurs années d'intervalle (après que la femelle a cessé d'allaiter son dernier petit et avant qu'elle ne soit de nouveau gravide). Enfin, les chimpanzés et les bonobos vivent au sein de troupes où ne se forment pas de liens durables mâle-femelle ni de relations spécifiques parent-enfant. On conçoit très bien le rôle décisif qu'ont tenu la taille de notre cerveau et notre station debout dans le façonnement de notre humanité, à savoir le fait que nous soyons aujourd'hui capables de parler, de lire, de regarder la télévision, d'acheter ou de cultiver l'essentiel de notre nourriture, d'occuper tous les continents et les océans, d'enfermer des membres de notre espèce et d'autres espèces dans des cages, et de nous employer à exterminer la plupart des autres espèces animales et végétales, pendant que les grands singes, muets, s'adonnent toujours à la cueillette des fruits sauvages dans la jungle, occupent de petits domaines dans les tropiques de l'Ancien Monde, ne mettent pas d'animaux en cage, et ne menacent l'existence d'aucune autre espèce. Quel rôle a joué notre sexualité particulière dans l'acquisition de ces signes distinctifs de l'humanité ?

Est-il possible d'établir un lien entre la singularité de notre sexualité et les autres différences qui nous séparent des grands singes ? Outre notre station debout et la grande taille de nos cerveaux (et sans doute en conséquence), ces différences comprennent : notre absence relative de pilosité, notre besoin d'outils, notre maîtrise du feu, notre invention du langage, de l'art et de l'écriture. On ne peut pas dire que le rapport entre ces caractères et l'évolution de notre sexualité soit évident. Par exemple, on ne voit pas très bien pourquoi notre perte de pilosité nous aurait orientés vers une sexualité à caractère ludique, ni pourquoi notre maîtrise du feu aurait favorisé la ménopause. En fait, j'avancerai l'hypothèse inverse : ce sont nos spécificités sexuelles qui sont à l'origine des différences physiologiques et comportementales.

Pour comprendre la sexualité humaine, il faut avant tout reconnaître qu'elle pose un problème en biologie de l'évolution. Quand Darwin a énoncé le phénomène d'évolution biologique dans son grand ouvrage *De l'origine des espèces au moyen de la sélection naturelle*, son raisonnement s'appuyait surtout sur des données anatomiques. De ces données, il a déduit que la majorité des structures végétales et animales évoluent — c'est-à-dire qu'elles ont tendance à se modifier au cours des générations. Il a déduit également que ces modifications sont régies par les lois de la sélection naturelle. Par ce terme, Darwin voulait dire que les plantes et les animaux s'adaptent différemment, que certaines adaptations permettent aux individus qui les portent de survivre et de se reproduire avec plus de succès que les autres, ce qui fait que ces adaptations surviennent de plus en plus fréquemment dans une population au fil des générations. Par la suite, des biologistes ont montré que le raisonnement que Darwin appliquait à l'anatomie valait aussi pour la physiologic et la biochimie : c'est également par ses caractéristiques physiologiques et biochimiques qu'un animal ou une plante s'adapte à certains modes de vie et évolue en réponse à son milieu.

Plus récemment, les biologistes évolutionnistes ont montré que l'organisation des sociétés animales évolue et s'adapte également. On retrouve des comportements très différents, même chez des individus d'espèces très proches . certains sont solitaires, d'autres vivent en petits groupes, et d'autres encore vivent en larges groupes. Mais le comportement social a des conséquences sur la survie et la reproduction. Par exemple, selon que la source d'alimentation d'une espèce est concentrée en un même lieu ou dispersée sur une vaste superficie, et selon que les prédateurs représentent ou non un danger sérieux, c'est la vie en solitaire ou la vie en groupe qui présentera le plus d'avantages pour la survie et la reproduction.

Des considérations du même ordre s'appliquent à la sexualité. Certains caractères sexuels sont plus favorables à la survie et la reproduction que d'autres, selon l'alimentation d'une espèce, son exposition aux prédateurs, et encore d'autres traits biologiques. À ce stade, je ne citerai qu'un exemple, un comportement qui, à première vue, semble aux antipodes de la logique de l'évolution : le cannibalisme sexuel. Le mâle de certaines espèces d'araignées et de mantes est systématiquement dévoré par sa partenaire aussitôt après ou même pendant l'accouplement. Dans certains cas, ce cannibalisme a clairement le consentement du mâle, car il aborde la femelle, ne tente pas de fuir, et va même parfois jusqu'à incliner la tête et le thorax vers la bouche de la femelle pour permettre à celle-ci de le grignoter par petits bouts, tout en épargnant l'abdomen qui reste en place pour achever l'injection de sperme.

Si l'on envisage la sélection naturelle comme l'optimisation des chances de survie, un tel suicide par cannibalisme paraît absurde. En fait, la sélection naturelle optimise la transmission des gènes et, dans la plupart des cas, la survie se résume à une stratégie visant à multiplier les occasions de cette transmission. Supposons que de telles occasions se présentent de manière imprévisible et peu fréquente, et que le nombre de descendants produits alors augmente avec l'état de nutrition de la femelle. C'est le cas pour certaines espèces d'araignées et de mantes à faible densité de population. Un mâle a déjà beaucoup de chance s'il rencontre une femelle, ne serait-ce qu'une fois, et il est peu probable qu'une telle chance lui sourie deux fois. La meilleure stratégie possible pour ce mâle serait de mettre sa chance à profit au cours de cette rencontre, en produisant autant de jeunes portant ses gènes que possible. Plus la femelle a de réserves alimentaires, plus elle dispose de calories qu'elle pourra convertir en œufs. Si le mâle partait après l'accouplement, il ne trouverait probablement pas d'autre femelle et la prolongation de sa vie serait inutile. Au contraire, en encourageant la femelle à le dévorer, il lui permet de produire davantage d'œufs portant ses gènes. En outre, une araignée femelle dont la bouche est occupée à grignoter le corps de son partenaire accepte plus longtemps l'accouplement avec les organes génitaux du mâle, ce qui permet le transfert d'une plus grande quantité de sperme et la fécondation d'un plus grand nombre d'œufs. Dans la perspective de l'évolution, la logique de l'araignée mâle est donc irréprochable et ne nous paraît aberrante que dans la mesure où d'autres aspects de la biologie humaine rendent le cannibalisme sexuel peu avantageux. La plupart des hommes ont dans leur vie plus d'une occasion de s'accoupler ; même les femmes bien nourries ne donnent en général naissance qu'à un enfant à la fois, ou tout au plus à des jumeaux ; en outre, une femme ne pourrait pas consommer une portion suffisante du corps de l'homme en une fois pour améliorer sérieusement la qualité de sa grossesse.

Cet exemple montre bien à quel point l'évolution des stratégies sexuelles dépend de paramètres à la fois écologiques et biologiques, paramètres qui varient tous deux d'une espèce à l'autre. Le cannibalisme sexuel chez les araignées et les mantes est favorisé par des facteurs écologiques (une faible densité de population et de faibles taux de rencontres) et par des facteurs biologiques (la capacité d'une femelle à digérer des repas relativement copieux et à augmenter considérablement sa production d'œufs quand elle a bien mangé). Les données écologiques peuvent changer brutalement si un individu colonise un nouvel habitat, mais cet individu porte en lui un bagage de caractères biologiques hérités, qui ne peuvent se modifier que lentement, par sélection naturelle. Ainsi, il ne suffit pas de considérer l'habitat et le mode de vie d'une espèce, de formuler sur le papier un ensemble de caractères

sexuels bien adaptés à cet habitat et à ce mode
de vie, puis de s'étonner de ne pas voir apparaître ces caractères *a priori* optimaux. Au contraire, l'évolution sexuelle est sévèrement limitée
par le patrimoine génétique et par le passé évolutif de l'espèce.

Chez la plupart des poissons, la femelle pond
des œufs que le mâle féconde ensuite en dehors
du corps de la femelle, mais chez tous les mammifères à placenta et chez les marsupiaux, la femelle met bas des petits déjà formés plutôt que
des œufs, et tous les mammifères pratiquent la
fécondation interne (injection de sperme par le
mâle dans le corps de la femelle). La naissance
d'un être déjà formé et la fécondation interne im-
pliquent tant d'adaptations biologiques et font
intervenir un si grand nombre de gènes que,
pour tous les mammifères à placenta et tous les
marsupiaux, ces caractères sont devenus irréversibles, et ce, depuis des dizaines de millions d'années. Comme nous le verrons, cette irréversibilité
contribue à expliquer pourquoi il n'existe pas de
mammifère dont seul le mâle s'occuperait de ses
petits, même dans les habitats où vivent des poissons et des grenouilles dont le mâle veille seul
sur ses petits.

Nous pouvons donc redéfinir le problème que
pose notre étrange sexualité. Au cours des sept
derniers millions d'années, notre anatomie
sexuelle a quelque peu divergé, notre physiologie
sexuelle un peu plus et notre comportement
sexuel encore plus, de ceux de nos plus proches
parents, les chimpanzés. Ces divergences corres-

pondent certainement à des évolutions distinctes du milieu et du mode de vie des deux espèces, dans la limite permise par les caractères héréditaires irréversibles. Quels sont donc ces changements de mode de vie et ces contraintes héréditaires qui ont forgé l'évolution de notre curieuse sexualité ?

Chapitre II

LA GUERRE DES SEXES

Au chapitre précédent nous avons vu que la compréhension de la sexualité humaine exige qu'on se débarrasse d'abord de la vision déformante de notre perspective anthropomorphique. Nous sommes des animaux exceptionnels en ce que nos père et mère demeurent en général ensemble après l'accouplement et élèvent à deux l'enfant, fruit de cette union. Personne ne peut nier qu'hommes et femmes contribuent de façon très inégale aux soins des enfants dans la plupart des mariages et dans la plupart des sociétés. Mais les pères apportent tout de même en général leur contribution, ne serait-ce que par la nourriture, la protection ou l'accès au territoire. Nous considérons ces contributions comme évidentes, au point qu'elles sont garanties par la loi : un père divorcé doit subvenir aux besoins de ses enfants, et même une mère célibataire peut saisir la justice pour forcer un homme à lui verser une pension alimentaire, si des tests génétiques attestent qu'il est le père de son enfant.

Mais cette timide ébauche d'égalité sexuelle est

une anomalie dans le monde animal, et surtout parmi les mammifères. Si les orangs-outans, les girafes, et la plupart des autres mammifères pouvaient parler, ils déclareraient absurdes nos lois pour la protection de l'enfance. La plupart des mammifères mâles n'ont aucun contact avec leur progéniture ou avec la mère de leur progéniture après l'insémination : ils sont trop occupés à chercher d'autres femelles à féconder. Les mâles en général, et pas seulement chez les mammifères, s'occupent beaucoup moins de leurs petits que les femelles (ou ne s'en occupent pas du tout).

On connaît cependant des exceptions à ce scénario machiste. Chez certaines espèces d'oiseaux, comme les phalaropes et les chevaliers grivelés, c'est le mâle qui couve les œufs et élève les poussins, pendant que la femelle part à la recherche d'un autre mâle qui l'inséminera à nouveau et élèvera sa nouvelle couvée. Chez certains poissons (comme les hippocampes et les épinoches) et certains amphibiens (comme les crapauds accoucheurs), le mâle prend soin de l'œuf, placé dans un nid, dans sa bouche, dans une poche ou dans son dos. Comment expliquer à la fois la règle générale de la prise en charge des jeunes par la mère et ses nombreuses exceptions ?

Il faut pour cela tenir compte du fait que la sélection naturelle agit sur les gènes du comportement, aussi bien que sur ceux du développement des dents ou de la résistance au paludisme. Un comportement peut favoriser la transmission de certains gènes chez les individus de telle espèce, mais pas de telle autre. En particulier, un mâle et une femelle qui viennent de s'accoupler pour produire un œuf fécondé se trouvent face à un « choix » de comportement. Vont-ils laisser l'œuf se débrouiller seul, pendant qu'ils s'occupent de produire un autre œuf fécondé, en s'accouplant entre eux ou avec d'autres partenaires ? Une pause sexuelle, permettant aux parents de se consacrer à leur rejeton, pourrait augmenter les chances de survie de ce premier œuf. Si c'est le cas, ce choix en amène d'autres : le père et la mère peuvent choisir de s'occuper tous deux de l'œuf, ou la mère seule peut faire ce choix, ou le père seul. En revanche, si l'œuf avait une chance sur dix de survivre même sans soins parentaux, et si le temps consacré à s'occuper de l'œuf permettait de produire 1 000 œufs fécondés de plus, il serait plus rentable pour les parents de laisser ce premier œuf à son destin et de se consacrer à en produire d'autres.

J'ai appelé ces alternatives des « choix », comme si les animaux décidaient consciemment, en pesant le pour et le contre avant de faire le meilleur choix. Bien sûr, ce n'est pas ce qui se passe : beaucoup de ces soi-disant choix sont en fait programmés dans l'anatomie et la physiologie. Par exemple, la femelle kangourou a « choisi » d'avoir une poche où placer son petit, mais le mâle n'a pas fait ce choix. Les choix suivants sont pour la plupart compatibles avec l'anatomie des deux sexes, mais ce sont en fait des instincts programmés qui déterminent si, oui ou non, un animal s'occupera de sa progéniture, et ces « choix » instinctifs de comportement ne sont pas forcément les mêmes pour les deux sexes. Par exemple, chez les oiseaux, l'approvisionnement des poussins en nourriture est une fonction instinctive du mâle et de la femelle chez l'albatros, du mâle mais pas de la femelle chez l'autruche, de la femelle mais pas du mâle chez la plupart des colibris, ni du mâle ni de la femelle chez le dindon, sans que ces différences de comportement aient de contrepartie anatomique ou physiologique.

Les caractères anatomiques, physiologiques et instinctifs qui sous-tendent l'activité parentale, constituent une partie de ce que les biologistes appellent une stratégie de reproduction. Retenus par la sélection naturelle, ces caractères sont inscrits dans le génome, où mutations et recombinaisons génétiques sont susceptibles, par exemple, de renforcer ou d'affaiblir l'instinct poussant le parent d'un sexe donné à apporter des vivres à son oisillon. Ces instincts ne peuvent qu'avoir un effet déterminant sur le nombre de poussins qui survivront assez longtemps pour perpétuer les gènes du parent. Il va de soi qu'un poussin auquel un parent apporte à manger, a plus de chances de survivre, mais nous verrons aussi qu'un parent qui *s'abstient* de nourrir ses poussins y gagne d'autres occasions de transmettre ses gènes. Globalement donc, l'effet d'un gène qui incite un oiseau à apporter à manger à ses poussins pourrait être d'augmenter ou de diminuer le nombre de poussins portant les gènes du parent, selon des facteurs écologiques et biologiques dont nous traiterons par la suite.

Les gènes qui spécifient les structures anatomiques ou les instincts les plus aptes à assurer la survie de jeunes portant ces gènes auront tendance à devenir de plus en plus fréquents. On peut dire cela autrement : la sélection naturelle privilégie les structures anatomiques et les instincts qui favorisent la survie et la reproduction. Remarquons que c'est là un type d'explication compliqué, fréquent dans les discussions sur l'évolution. Aussi les biologistes ont-ils couramment recours à un langage anthropomorphique pour condenser ce genre de tirade. Ils diront qu'un animal « choisit » de faire quelque chose ou qu'il adopte telle ou telle stratégie. Ce vocabulaire simplifié ne doit pas donner l'impression erronée que les animaux font des calculs raisonnés.

Longtemps, les biologistes de l'évolution ont conçu la sélection naturelle comme quelque chose qui devait assurer « le bien de l'espèce ». En fait, la sélection naturelle agit avant tout à l'échelle des individus, plantes ou animaux. La sélection naturelle ne se résume pas à une lutte entre différentes espèces (des populations entières), ce n'est pas non plus une lutte entre individus d'espèces différentes, ou entre individus de même espèce, de même âge ou de même sexe. La sélection naturelle peut prendre la forme d'une lutte entre parents et enfants, ou entre père et mère, dont les intérêts ne coïncident pas forcément. Ce qui favorise la transmission des gènes d'un individu d'âge ou de sexe donné ne la favorise pas nécessairement dans d'autres catégories d'individus.

Ainsi, alors que la sélection naturelle favorise à la fois les mâles et les femelles qui laissent une descendance nombreuse, la meilleure stratégie à adopter pour parvenir à ce résultat n'est pas forcément identique pour le père et la mère, et l'intérêt génétique d'un mâle ne coïncide pas nécessairement avec celui de la mère de ses jeunes, et vice versa. Cela conduit à des conflits entre parents, inscrits dans les gènes, ce que trop d'humains connaissent bien, même sans explication des savants. Nous plaisantons sur la guerre des sexes, mais cette guerre n'est ni une plaisanterie, ni une exception. Cette dure réalité est à l'origine de bien des déchirements.

Considérons à nouveau le cas du mâle et de la femelle qui viennent de s'accoupler pour produire un œuf fécondé et doivent décider de la conduite à tenir. Si l'œuf, laissé à lui-même, a une bonne chance de survie, et si le père et la mère peuvent tous deux produire d'autres œufs fécondés dans le temps qui serait nécessaire aux soins du premier œuf, les intérêts de la mère et du père alors coïncident et consistent à abandonner l'œuf. Mais, si l'œuf nouvellement fécondé, pondu ou éclos, ou le petit qui vient de naître ont absolument besoin d'assistance, il y a conflit d'intérêt, car l'un des parents pourrait se décharger de toute responsabilité sur l'autre afin de partir à la recherche d'un nouveau partenaire sexuel, favorisant ainsi ses intérêts génétiques aux dépens du parent resté avec le petit. Dans la logique de l'évolution, le déserteur ne fait qu'agir dans son propre intérêt, quand il abandonne son ou sa partenaire ainsi que sa progéniture.

Lorsque l'assistance d'un parent est indispensable à la survie des jeunes, on peut concevoir l'activité parentale comme une course entre la mère et le père à qui abandonnera le premier l'autre et les jeunes, afin de se remettre sans délai à produire d'autres bébés. Bien sûr, la désertion n'est une solution intéressante que si le déserteur potentiel peut compter sur l'ancien partenaire pour rester auprès des jeunes tant qu'il le faudra, et s'il a de fortes chances de retrouver un autre partenaire réceptif. C'est un peu comme si, au moment de la fécondation, le père et la mère se livraient à un double chantage, se regardant droit dans les yeux et déclarant simultanément : « Je vais partir pour trouver quelqu'un d'autre, et toi tu peux rester t'occuper de cet embryon si tu le veux, mais que tu le fasses ou non, moi, *je m'en vais* ! » Si les deux partenaires décident que l'autre bluffe lors de cette course à la désertion, alors l'embryon meurt et les deux parents sont perdants.

Lequel des deux parents cédera le plus facilement ? Tout dépend quel parent a le plus investi dans cet œuf, et lequel a les meilleures chances de trouver de nouvelles perspectives intéressantes. Dans beaucoup d'espèces, c'est la femelle qui cède et qui se charge seule des jeunes pendant que le père déserte, mais chez d'autres, le mâle prend ses responsabilités et c'est la femelle qui déserte, alors que chez d'autres encore, les deux parents se partagent les responsabilités. Le scénario choisi dépend de trois ensembles de facteurs interdépendants : l'investissement initial dans la fabrication de l'embryon ou de l'œuf, les occasions que l'animal perdrait s'il décidait de se consacrer à l'embryon ou à l'œuf déjà fécondé, et sa certitude d'être réellement le géniteur de l'œuf.

Nous savons tous par expérience que nous avons plus de réticence à abandonner une entreprise dans laquelle nous avons beaucoup investi, qu'il s'agisse d'investissements dans les rapports humains, dans les affaires, à la bourse, ou bien d'investissements en argent, en temps, ou en efforts. Nous mettons facilement fin à une relation qui échoue dès le premier rendez-vous, et nous nous désintéressons d'une maquette d'avion à deux sous si nous rencontrons une difficulté au bout de cinq minutes. Mais ce n'est qu'au prix de grands déchirements que nous mettons fin à vingt-cinq ans de mariage ou à des travaux de réparation qui nous ont déjà coûté très cher.

Le même principe s'applique à l'investissement des parents dans leur progéniture potentielle. Dès le moment où l'ovule est fécondé par un spermatozoïde, l'embryon créé représente un investissement plus important pour la femelle que pour le mâle parce que, dans la plupart des espèces, l'ovule est beaucoup plus gros que le spermatozoïde. L'ovule et le spermatozoïde contiennent tous deux des chromosomes, mais l'ovule contient en outre suffisamment de nutriments et de structures métaboliques pour permettre à l'embryon de se développer, au moins jusqu'au stade où il est en mesure de s'alimenter par lui-même. Les spermatozoïdes, au contraire, n'ont besoin que d'un flagelle moteur et d'assez d'énergie pour le mettre en mouvement et lui permettre de nager quelques jours au plus. En conséquence, un ovule humain mûr pèse environ un million de fois plus que le spermatozoïde qui le féconde ; ce rapport est d'un million de milliards pour les kiwis. Ainsi, un embryon fécondé, vu simplement comme un projet aux premiers stades de réalisation, représente un investissement absolument ridicule par rapport à la masse corporelle du père, mais pas par rapport à celle de la mère. Pourtant, cela ne veut pas forcément dire que la mère a perdu d'emblée la partie de chantage, avant même la conception. Car en même temps que le spermatozoïde unique qui a fécondé l'ovule, le mâle a pu produire plusieurs centaines de millions d'autres spermatozoïdes dans l'éjaculation, son investissement total pouvant ainsi approcher celui de la femelle.

La fécondation d'un œuf est dite interne ou externe, selon qu'elle a lieu à l'intérieur ou à l'extérieur du corps de la femelle. La fécondation est externe chez le plus grand nombre des poissons et des amphibiens. Chez la plupart des poissons, par exemple, une femelle et un mâle à proximité rejettent simultanément leurs œufs et leur sperme dans l'eau, où se produit la fécondation.

Avec la fécondation externe, l'investissement obligatoire de la femelle prend fin au moment où elle expulse les œufs. Selon l'espèce, les œufs sont soit abandonnés à la dérive, soit laissés à la garde de l'un des deux parents.

Mieux connue est la fécondation interne, où le mâle injecte son sperme (par exemple, par l'intermédiaire d'un pénis) dans le corps de la femelle. Dans la plupart des espèces, la femelle n'expulse pas tout de suite les embryons, mais les conserve dans son corps jusqu'à ce qu'ils se soient suffisamment développés pour survivre par leurs propres moyens. Avant d'être relâchés, les jeunes peuvent être enveloppés dans une coquille d'œuf protectrice, avec une provision d'énergie sous la forme de vitellus (jaune d'œuf) — comme c'est le cas pour tous les oiseaux, pour de nombreux reptiles, et pour les mammifères monotrèmes (les ornithorynques et les échinidés d'Australie et de Nouvelle-Guinée). Ou alors, l'embryon peut continuer de se développer à l'intérieur de la mère jusqu'à « naître » sans coquille au lieu d'être « pondu » sous forme d'œuf. Cette modalité, que l'on appelle viviparité (mot latin qui désigne la naissance d'un petit déjà développé), est celle de tous les mammifères, à l'exception des monotrèmes, et de quelques poissons, reptiles et amphibiens. La viviparité fait appel à des structures internes spécialisées, dont le placenta des mammifères est la plus complexe, pour assurer le passage de nutriments de la mère à son embryon en cours de développement, et le passage des déchets de l'embryon à la mère.

La fécondation interne oblige donc la mère à prolonger son investissement dans l'embryon au-delà de la fabrication de l'ovule. Soit elle puise dans le calcium et les nutriments de son propre corps pour fabriquer une coquille et du vitellus, soit elle utilise ses propres nutriments pour fabriquer le corps même de l'embryon. En plus de cet investissement alimentaire, la mère doit investir en temps pendant la grossesse. Il en résulte que l'investissement d'une mère fécondée intérieurement, au moment de l'éclosion ou de la naissance, dépasse bien plus celui du père que celui d'une mère fécondée extérieurement au moment de l'expulsion des ovules. Au terme d'une grossesse de neuf mois, par exemple, la dépense en temps et en énergie d'une mère humaine est colossale par rapport à l'investissement ridiculement faible engagé par son mari ou son petit ami pendant les quelques minutes qu'il lui a fallu pour s'accoupler et éjecter son millilitre de sperme.

À cause de ce déséquilibre entre l'investissement de la mère et celui du père, il est plus difficile pour la mère de bluffer le père dans l'espoir de se soustraire à ses responsabilités parentales après l'éclosion ou la naissance. Ces responsabilités prennent plusieurs formes : l'allaitement chez les mammifères, la surveillance des œufs chez les alligators, et la couvaison des œufs chez les pythons. Néanmoins, comme nous allons le voir, il existe d'autres conditions qui peuvent conduire le père à renoncer à son propre bluff et à participer à la prise en charge de sa progéniture, ou même à l'assurer entièrement.

La participation à l'investissement initial n'est que l'un des facteurs qui influencent le « choix » d'un parent de se consacrer ou non à sa progéniture. Le deuxième facteur prend en compte les occasions perdues par un parent qui choisit de se consacrer à ses jeunes. Imaginez que vous soyez un animal en présence de son nouveau-né, calculant froidement la conduite qui servira le mieux vos intérêts génétiques. Ce petit porte vos gènes, et ses chances de survie seront incontestablement meilleures si vous restez proche pour le protéger et le nourrir. Si vous n'avez rien de mieux à faire de votre temps, vous avez tout intérêt à vous occuper de ce petit au lieu d'essayer de bluffer votre partenaire pour le(la) contraindre à s'en occuper seul(e). En revanche, si vous pouvez imaginer un moyen de transmettre dans le même temps vos gènes à une descendance beaucoup plus nombreuse, il est certainement préférable que vous abandonniez votre partenaire du moment et votre petit.

Maintenant, imaginez une mère et un père faisant tous deux ce calcul juste après l'accouplement et la production de quelques embryons. Si la fécondation est externe, là s'arrête l'engagement des parents, qui sont en théorie tous deux libres de chercher ailleurs un partenaire avec lequel produire d'autres embryons. Certes, leurs embryons tout juste fécondés pourraient profiter d'une présence parentale, mais la mère et le père sont dans une situation identique pour bluffer l'autre afin qu'il prenne tout seul la charge des œufs. Par contre, si la fécondation est interne, la femelle gravide est contrainte de nourrir les embryons fécondés jusqu'à la naissance ou la ponte, ou même, s'il s'agit d'un mammifère, jusqu'au sevrage. Pendant cette période, elle ne gagnerait rien à s'accoupler avec un autre mâle car cette nouvelle union serait stérile. Il ne lui en coûte donc pas de se consacrer entièrement à son petit.

Mais le mâle qui vient d'injecter son échantillon de sperme dans une femelle est disponible tout de suite après pour ensemencer une autre femelle, et peut ainsi transmettre ses gènes à d'autres jeunes. Un homme, par exemple, produit environ 200 millions de spermatozoïdes par éjaculation, ou au moins quelques dizaines de millions, même s'il s'avérait vrai, comme on a pu le dire, que le nombre de spermatozoïdes a baissé depuis quelques années. S'il éjaculait une fois tous les 28 jours pendant les 280 jours de grossesse de sa femme (une fréquence d'éjaculation qui est largement à la portée de la majorité des hommes), il émettrait suffisamment de sperme pour féconder chacune des quelques 2 milliards de femmes en âge de procréer que compte le monde, si chacune d'elles pouvait recevoir l'un de ses spermatozoïdes. C'est cette même logique évolutionniste qui pousse tant d'hommes à quitter une femme juste après l'avoir fécondée pour passer à la suivante. Un homme qui se consacre aux soins de son enfant se ferme à beaucoup de possibilités ailleurs. Le même raisonnement s'applique aux mâles et aux femelles de la plupart des autres espèces à fécondation interne. Ces autres occasions qui s'offrent aux mâles contribuent au cas de figure le plus répandu dans le règne animal, celui où c'est la femelle qui se charge de subvenir aux besoins des jeunes.

Le troisième facteur restant est le degré de certitude qu'a l'animal d'avoir engendré le petit. Avant d'investir du temps, des efforts et de la nourriture pour la survie d'un œuf fécondé ou d'un embryon, vous avez tout intérêt à vous assurer d'abord qu'il s'agit bien du vôtre. S'il s'avère qu'il s'agit du rejeton d'un autre, vous aurez perdu la course de l'évolution. Vous vous serez éreinté à propager les gènes d'autrui. Pour la femme, comme pour les femelles d'autres espèces pratiquant la fécondation interne, la maternité ne fait l'objet d'aucun doute. Les spermatozoïdes entrent dans son corps, qui contient ses ovules. De celui-ci sort un bébé quelques temps plus tard. Une substitution à l'intérieur de son corps est inconcevable. C'est un pari gagnant pour la mère que de prendre soin de ce bébé.

Mais le mâle n'a pas la même certitude quant à sa paternité. Certes, son sperme est entré dans le corps d'une femelle, et du corps de cette femelle est ensuite sorti un bébé. Mais comment savoir si la femelle ne s'est pas accouplée avec d'autres mâles pendant qu'il était absent ? Comment être sûr que ce n'est pas le sperme d'un autre qui a fécondé l'œuf ? Face à cette inévitable incertitude, la conclusion à laquelle arrivent la plupart des mâles c'est qu'il vaut mieux partir juste après l'accouplement, chercher d'autres femelles à féconder, puis laisser ces femelles élever leurs petits, en espérant que l'une ou plusieurs des femelles avec lesquelles il s'est accouplé sera effectivement enceinte de ses œuvres et réussira à élever les jeunes sans son aide. Du point de vue de l'évolution, un mâle ferait un mauvais calcul en décidant de se consacrer à sa progéniture.

Pourtant, certaines espèces dérogent à cette règle qui veut que le mâle disparaisse aussitôt après l'accouplement. Les exceptions sont de trois sortes. Il y a d'abord les espèces à fécondation externe. La femelle expulse ses ovules ; le mâle, qui se tient prêt ou qui a déjà saisi la femelle, recouvre les œufs de son sperme ; puis il s'empare tout de suite des œufs, avant que d'autres mâles n'aient pu venir brouiller les pistes avec leur sperme. Sûr de sa paternité, il va ensuite entourer les œufs de ses soins. De cette logique il résulte que, chez certains poissons et certaines grenouilles, le mâle est programmé pour assurer seul la fonction de parent après la fécondation. Par exemple, chez le crapaud accoucheur, le mâle veille sur les œufs en les enroulant autour de ses pattes arrière ; chez certaines grenouilles vertes, le mâle veille sur les œufs après les avoir installés dans un lit de végétation surplombant un cours d'eau qui recevra les têtards à l'éclosion ; chez l'épinoche, le mâle construit un nid pour protéger les œufs des prédateurs.

Un deuxième type d'exception fait intervenir un phénomène remarquable, affublé d'un nom à rallonge : la polyandrie avec inversion des rôles. Comme ce terme l'indique, ce comportement s'oppose au mode de reproduction polygynique, assez courant, qui met en concurrence de grands mâles désireux d'acquérir un harem de femelles. Dans ce cas, au contraire, ce sont les grandes femelles qui se livrent à une âpre concurrence pour acquérir un harem de jeunes mâles. La femelle pond tour à tour une couvée à l'attention de chaque mâle, qui se charge alors quasiment seul de l'incubation des œufs et de l'élevage des jeunes. Les mieux connues de ces sultanes sont des oiseaux limicoles, les jacanas, les chevaliers grivelés, et les phalaropes de Wilson. Il arrive que des formations, pouvant compter jusqu'à dix femelles phalaropes, prennent en chasse un mâle sur des kilomètres. La femelle victorieuse garde alors jalousement son prix pour s'assurer qu'elle seule s'accouplera avec lui, et qu'il rejoindra les rangs des mâles qui élèvent ses poussins.

À l'évidence, la polyandrie avec inversion des rôles représente pour la femelle conquérante la réalisation d'un rêve évolutionniste. Elle gagne la guerre des sexes en transmettant ses gènes à beaucoup plus de couvées qu'elle ne pourrait en élever, seule ou avec l'aide d'un seul mâle. Elle peut exploiter presque tout son potentiel de ponte, n'étant limitée que par sa capacité à l'emporter sur les autres femelles en quête de mâles volontaires pour prendre en charge une couvée de jeunes. Mais comment cette stratégie a-t-elle évolué ? Pourquoi les mâles de certaines espèces limicoles font-ils figure de vaincus dans la guerre des sexes, relégués au rôle de co-« maris » poly-andres, alors que la plupart des autres oiseaux mâles ont réussi à éviter ce sort, allant jusqu'à l'inverser pour devenir polygynes ?

L'explication tient à la reproduction très parti-culière des oiseaux limicoles. La femelle ne pond que quatre œufs à la fois, et les jeunes sont pré-coces (ou nidifuges), ce qui veut dire qu'ils sor-tent de l'œuf déjà couverts de duvet, les yeux ouverts, capables de courir et de trouver leur propre nourriture. Le parent n'a pas à nourrir les poussins, mais seulement à les protéger et à les tenir au chaud. C'est une tâche qui est tout à fait à la portée d'un parent seul, alors qu'il faut deux parents pour nourrir les jeunes de la plupart des autres espèces d'oiseaux.

Mais, si un poussin peut courir de-ci de-là dès l'éclosion de l'œuf, c'est qu'il s'est plus développé dans l'œuf que le petit oisillon habituel, faible et sans défense (nidicole). Il faut donc que l'œuf soit particulièrement gros. (Prenez un jour la peine de jeter un coup d'œil aux minuscules œufs du pigeon, qui donnent de faibles oisillons, et vous comprendrez pourquoi les fermiers choisis-sent plutôt d'élever des poules à gros œufs et à poussins précoces.) Chez le chevalier grivelé, chaque œuf atteint un bon cinquième du poids de sa mère, et la couvée complète, composée de quatre œufs, pèse donc presque autant qu'elle. Bien que l'évolution des oiseaux limicoles ait conduit à des femelles qui, même lorsqu'elles sont monogames, sont légèrement plus grosses que les mâles, l'effort à fournir pour produire ces énormes œufs est cependant épuisant. Cet effort maternel explique pourquoi il est dans l'intérêt du mâle, à court comme à long terme, de se charger de la tâche finalement peu ardue qui consiste à élever seul les poussins, laissant ainsi à la mère le loisir de réengraisser.

L'avantage à court terme tient au fait que sa partenaire, ayant repris ses forces, pourra lui donner rapidement une nouvelle couvée, dans le cas où la première serait détruite par un prédateur. Or, les oiseaux limicoles, qui construisent leur nid à même le sol, subissent de terribles pertes en œufs et en poussins. En 1975, par exemple, un seul vison a détruit jusqu'au dernier nid d'une population de chevaliers grivelés qu'étudiait l'ornithologue Lewis Oring dans le Minnesota. Une étude faite sur des jacanas à Panama a montré que quarante-quatre sur cinquante-deux nids avaient été détruits.

À long terme, une femelle qui évite l'épuisement a plus de chances de survivre jusqu'à la saison de reproduction suivante. Et, comme pour les couples humains, les couples d'oiseaux expérimentés, qui ont mis au point une relation harmonieuse, réussissent mieux à élever leurs oisillons que de jeunes couples d'oiseaux qui viennent tout juste de s'apparier.

Mais faire acte de générosité en comptant récupérer sa mise par la suite comporte un risque, pour les échassiers mâles comme pour les humains. Une fois que le mâle s'est engagé à assumer seul la charge des jeunes, la voie est libre pour sa partenaire qui peut alors employer son temps comme elle le souhaite. Peut-être choisira-t-elle de manifester sa reconnaissance en restant à la disposition de son partenaire, au cas où la première couvée serait détruite et où il aurait besoin d'une couvée de remplacement. Mais elle pourrait aussi choisir de favoriser ses propres intérêts, en partant à la recherche d'un autre mâle disponible tout de suite pour engendrer une deuxième couvée. Si sa première couvée survit et continue d'occuper son précédent partenaire, cette stratégie polyandre aura ainsi doublé sa production génétique.

Bien entendu, d'autres femelles auront fait le même calcul, et elles se retrouveront toutes en concurrence pour un stock de mâles disponibles qui ira en s'amenuisant au fur et à mesure qu'on s'avance dans la saison de reproduction, les mâles étant de plus en plus occupés par leur première couvée et dans l'impossibilité d'accepter des responsabilités parentales supplémentaires. Même si au départ les mâles sont aussi nombreux que les femelles adultes, il peut y avoir en peu de temps jusqu'à sept femelles pour un mâle *disponible* chez les chevaliers grivelés et chez les phalaropes de Wilson. Ce sont ces nombres cruels qui poussent l'inversion des rôles à l'extrême. La taille importante des femelles, justifiée par le besoin de produire de gros œufs, s'est trouvée ensuite renforcée en vue des combats entre femelles. La femelle réduit donc encore davantage sa contribution aux soins des jeunes et c'est elle qui fait la cour au mâle plutôt que le contraire.

Ainsi, les caractères biologiques des oiseaux limicoles, en particulier la précocité des poussins, la rareté et la taille des œufs composant une couvée, l'emplacement des nids à même le sol, et la sévérité des pertes infligées par les prédateurs, favorisent la prise en charge exclusive des jeunes par le mâle, ainsi que l'émancipation de la femelle et sa désertion du nid. Certes, cette polyandrie n'est le fait que de quelques espèces limicoles, comme les jacanas des tropiques et les populations de chevaliers grivelés vivant le plus au sud. Au contraire, la plupart des chevaliers de l'Arctique n'ont pas le temps d'élever une deuxième couvée pendant la bien courte saison de reproduction. Bien qu'elle semble très éloignée de celle des êtres humains, la sexualité des oiseaux limicoles illustre bien notre propos : la sexualité d'une espèce est façonnée par d'autres composantes de sa biologie. Il nous est plus facile de reconnaître cela pour les oiseaux, auxquels nous n'appliquons pas de critères moraux, que pour nous-mêmes.

On trouve la dernière exception à la règle de désertion masculine chez les espèces, comme la nôtre, où la fécondation est interne mais où l'élevage des jeunes nécessite un second parent, pour apporter des vivres, pour veiller sur les jeunes pendant que le(la) partenaire va chercher de la nourriture, pour défendre le territoire, ou pour éduquer les jeunes. La femelle n'étant pas capa-

ble à elle seule de nourrir et de défendre les petits, ceux-ci mourraient de faim si, la fécondation
accomplie, le mâle partait à la recherche d'autres
femelles. Ainsi, dans son propre intérêt évolutif,
le mâle restera avec sa conjointe fécondée, et
vice versa.

C'est ce qui se produit pour la plupart des
oiseaux d'Amérique du Nord et d'Europe : les
mâles et les femelles sont monogames et se partagent la responsabilité des jeunes. Je ne vous
apprendrai rien en remarquant que c'est aussi
plus ou moins le cas des êtres humains. Il n'est
pas aisé d'élever seul des enfants, même à notre
époque où l'accès aux supermarchés et aux baby-
sitters s'est généralisé. À l'époque reculée où
l'homme vivait de la chasse et de la cueillette, un
enfant qui perdait son père ou sa mère voyait ré-
duites ses chances de survie. Le père a intérêt,
pour propager son patrimoine génétique, à prendre soin de l'enfant. De fait, les hommes assurent
en général nourriture, protection et logement à
leurs femme et enfants, d'où notre système familial de couples mariés en principe monogames,
ou, à l'occasion, de harems de femmes rattachées
à un même homme riche. Ces considérations
s'appliquent aussi aux gorilles, aux gibbons, et
aux autres mammifères dont le mâle s'occupe de
ses jeunes.

Pourtant, ce partage des responsabilités, qui
nous est familier, ne met pas fin à la guerre des
sexes. Il n'abolit pas forcément les conflits d'intérêt entre la mère et le père, qui découlent de
l'inégalité de leurs investissements initiaux. Même

parmi les mammifères et les oiseaux où le père s'occupe des jeunes, les mâles font le minimum pour leur progéniture, qui survit surtout grâce aux efforts de la mère. Les mâles essaient aussi de féconder les partenaires d'autres mâles, laissant le malheureux cocu élever, sans le savoir, les rejetons de l'amant. À juste titre, les mâles deviennent très méfiants à l'égard du comportement de leur compagne.

Un exemple bien connu et assez typique de ces conflits inhérents aux rôles des parents est celui de l'oiseau européen, dénommé gobe-mouches noir ou becfigue. Les mâles sont en principe monogames, mais il y en a beaucoup qui tentent de devenir polygames, et bon nombre y parviennent. À nouveau, il sera utile de consacrer quelques pages de ce traité de la sexualité humaine à un oiseau, parce que, comme nous allons le voir, certains comportements aviens ressemblent à s'y méprendre à ceux des êtres humains, mais sans soulever en nous la même indignation morale.

Voici comment fonctionne la polygynie chez le gobe-mouches noir. Au printemps, le mâle repère un trou d'arbre qui fera un bon nid, marque son territoire tout autour, séduit une femelle et s'accouple avec elle. Quand cette femelle (dite primaire) pond son premier œuf, le mâle est confiant parce que c'est lui qui l'a fécondée, et que, occupée à couver ses œufs, elle ne s'intéressera pas à d'autres mâles, étant de toute façon provisoirement stérile. Il se trouve donc un autre nid voisin, séduit une nouvelle femelle (dite secondaire) et s'accouple avec elle.

Quand cette femelle secondaire se met à pondre à son tour, le mâle est tout aussi confiant. Vers la même époque, les œufs de sa femelle primaire commencent à éclore. Il lui revient alors, et consacre beaucoup d'énergie à nourrir ces premiers oisillons au détriment de ceux de sa femelle secondaire. Les faits sont cruels et les nombres parlent d'eux-mêmes : le mâle fait en moyenne quatorze livraisons de nourriture par heure au nid de sa femelle primaire, mais seulement sept au nid de sa femelle secondaire. S'il y a suffisamment de nids disponibles, la plupart des mâles appariés tenteront d'acquérir une femelle secondaire, et jusqu'à 39 % y parviendront.

Bien entendu, ce système génère à la fois des gagnants et des perdants. Comme il y a à peu près autant de mâles que de femelles gobe-mouches, et comme chaque femelle a un compagnon, pour chaque mâle bigame il doit y avoir un malheureux mâle sans compagne. Les grands gagnants sont les mâles polygynes, qui engendrent en moyenne 8,1 poussins par an (si l'on ajoute les contributions des deux compagnes), contre seulement 5,5 poussins pour les mâles monogames. Les mâles polygynes, souvent plus âgés et plus gros que les mâles célibataires, réussissent à s'approprier les meilleurs territoires et les meilleurs nids dans les meilleurs habitats. Il en résulte que leurs poussins, de 10 % plus lourds que ceux des autres mâles, ont de meilleures chances de survie.

Les grands perdants sont les malheureux mâles célibataires, qui n'engendrent pas du tout de poussins (en tout cas en théorie ; j'y reviendrai par la suite). Les autres perdantes sont les femelles secondaires, qui doivent travailler beaucoup plus dur que les femelles primaires pour nourrir leurs petits. Elles s'épuisent à faire leurs vingt livraisons de nourriture par heure, contre seulement treize pour les femelles primaires. Exténuées par ce travail, les femelles secondaires risquent de mourir plus tôt. Et malgré ses efforts herculéens, la laborieuse femelle secondaire rapporte moins de nourriture au nid qu'une femelle primaire détendue et un mâle réunis. Par conséquent, des poussins meurent de faim, et il reste moins de poussins vivants aux femelles secondaires qu'aux femelles primaires, 3,4 contre 5,4 en moyenne. En plus, les poussins qu'a réussi à sauver la femelle secondaire sont plus jeunes que ceux de la femelle primaire, et ils auront donc plus de mal à survivre aux rigueurs de l'hiver et des migrations.

Étant donné ces cruelles statistiques, pourquoi une femelle accepterait-elle le sort de « seconde épouse » ? Autrefois, les biologistes supputaient que les femelles secondaires choisissent ce sort, en calculant qu'il vaut mieux être la deuxième épouse négligée d'un bon mâle que l'épouse en titre d'un mâle minable avec un piètre territoire. (On a déjà entendu de riches hommes mariés tenir ce genre de propos à leur future maîtresse). En fait, il s'avère que les femelles secondaires n'acceptent pas consciemment leur sort, mais qu'elles se font duper.

La clé de cette duperie, c'est que les mâles polygynes font bien attention à laisser entre les deux ménages un espace de quelques centaines de mètres, où s'interposent les territoires de nombreux autres mâles. Il est frappant de constater que les mâles polygynes ne profitent pas des douzaines de trous disponibles à proximité de leur premier nid pour courtiser une deuxième femelle, ce qui leur permettrait de gagner du temps sur la durée du trajet d'un nid à l'autre, donc de consacrer plus de temps à l'approvisionnement de leurs jeunes et de réduire le risque d'être cocufié en leur absence. La conclusion qui s'impose c'est que les mâles polygynes acceptent les inconvénients d'un deuxième foyer éloigné afin de tromper la deuxième compagne convoitée en lui cachant l'existence du premier ménage. Les exigences de la vie rendent le gobe-mouches femelle tout particulièrement vulnérable à la duperie. Si elle découvre après la ponte que son mâle est polygyne, il est trop tard pour faire quoi que ce soit. Il vaut mieux qu'elle reste avec ces œufs-là plutôt que de les abandonner pour se mettre à la recherche d'un des mâles restés disponibles (de toute façon, la plupart d'entre eux sont des bigames en puissance), dans l'espoir que le nouveau partenaire se révélera plus digne de confiance que le précédent.

Le dernier aspect de la stratégie de reproduction du gobe-mouches mâle a été décrit par des biologistes masculins par un terme sans connotation morale : la stratégie reproductive mixte (qu'on abrège par le sigle SRM). Ceci signifie que le mâle en ménage ne se contente pas de sa partenaire : il cherche aussi à s'insinuer auprès des partenaires d'autres mâles afin de les inséminer. S'il repère une femelle dont le partenaire est momentanément absent, il tentera de s'accoupler avec elle et, souvent, il réussira. Soit il l'aborde en chantant à tue-tête, soit il s'en approche subrepticement, sans faire de bruit ; c'est cette dernière méthode qui réussit le mieux.

L'ampleur de l'activité sexuelle du gobe-mouches paraît phénoménale pour l'esprit humain. Dans le premier acte du *Don Juan* de Mozart, Leporello, le serviteur de Don Juan, vante auprès de Donna Elvira les prouesses de son maître qui aurait séduit 1 003 femmes, rien qu'en Espagne. Ce chiffre paraît fort impressionnant, mais pas tant que cela si l'on prend en compte la longueur d'une vie humaine. Si les conquêtes de Don Juan se sont étalées sur trente ans, il n'a séduit qu'une Espagnole tous les onze jours. En revanche, si un gobe-mouches mâle quitte temporairement sa partenaire (pour aller chercher de la nourriture, par exemple), il suffira alors d'une dizaine de minutes en moyenne pour qu'un autre mâle s'introduise dans son territoire et de 34 minutes pour qu'il s'accouple avec sa partenaire. 29 % de tous les accouplements observés s'avèrent être des EPC (extra-pair copulation ou accouplement extra-conjugal), et on estime à 24 % le taux d'oisillons illégitimes. En général, l'intrus séducteur n'est autre que le voisin de palier (un mâle venu d'un territoire mitoyen).

Le grand perdant est le mâle cocu, pour qui les EPC et les SRM sont une catastrophe sur le plan de l'évolution. Il perd une saison complète de reproduction, sur sa courte vie, à nourrir des poussins qui ne transmettront pas ses gènes. Néanmoins, bien que le mâle responsable de l'EPC puisse donner l'impression de sortir grand gagnant, il est en fait difficile de faire la part des choses. Pendant qu'un mâle court ailleurs, il donne à d'autres l'occasion de séduire sa partenaire. Les tentatives d'EPC réussissent rarement si une femelle est à moins de dix mètres de son partenaire, mais bien plus souvent si la distance est supérieure. Ceci rend la SRM tout particulièrement risquée pour les mâles polygynes, qui passent beaucoup de temps dans leur deuxième territoire, ou à faire la navette entre leurs deux territoires. Un mâle polygyne tente une EPC en moyenne toutes les vingt-cinq minutes, mais sa première compagne en est menacée toutes les onze minutes. Dans la moitié des tentatives d'EPC, le gobe-mouches cocu est en train de poursuivre une autre femelle au moment même où sa propre partenaire subit les assauts d'un autre mâle.

Ces statistiques pourraient faire douter de la rentabilité de la SRM pour les gobe-mouches mâles, qui sont cependant assez malins pour limiter les risques. Jusqu'à ce qu'ils aient fécondé leur partenaire, ils restent à moins de deux ou trois mètres d'elle et la gardent jalousement. Ce n'est que quand elle a été fécondée qu'ils partent flirter ailleurs.

Si nous comparons les mœurs humaines aux différentes issues de la guerre des sexes chez les animaux, nous constatons une grande ressemblance. Alors que la sexualité humaine est singulière par bien des points, elle est parfaitement banale quant à la guerre des sexes. La reproduction humaine nous donne un exemple de plus de fécondation interne, associée à une protection biparentale des jeunes, contrastant avec les espèces à fécondation externe et à croissance sous la protection d'un seul, ou même d'aucun parent.

Chez les humains, comme chez tous les mammifères et tous les oiseaux, sauf les dindons, un œuf fécondé est incapable de survivre par ses propres moyens. En fait, l'autonomie du petit de l'homme est particulièrement tardive, ce qui rend indispensable une prise en charge parentale. Encore faut-il savoir lequel des deux parents y contribuera le plus.

Pour les animaux, nous avons vu que la réponse à cette question dépendait de l'importance relative des investissements maternels et paternels dans l'embryon, des occasions qu'ils perdraient en décidant de se consacrer aux jeunes, et de leur degré de certitude d'être le père ou la mère. Si l'on considère le premier facteur, la mère humaine a un plus gros investissement obligatoire que le père humain. Déjà au moment de la fécondation, l'ovule humain est bien plus gros qu'un spermatozoïde, mais pas plus qu'une éjaculation entière. Après la fécondation, la mère engage neuf mois de dépenses en temps et en énergie, suivis d'une période d'allaitement qui durait environ quatre ans dans les sociétés vivant de la chasse et de la cueillette, comme c'était le cas de toutes les sociétés humaines avant l'avènement de l'agriculture, il y a environ dix mille ans. Comme je l'ai moi-même constaté en voyant avec quelle rapidité le réfrigérateur se vidait lorsque ma femme allaitait nos enfants, l'allaitement humain demande beaucoup d'énergie. La consommation d'une nourrice dépasse celle de l'homme même actif et approche celle d'une coureuse de marathon à l'entraînement. Ainsi, il est impensable qu'une femme qui vient d'être fécondée se lève du lit conjugal, fixe son mari ou son amant dans les yeux et lui dise : « Tu vas devoir t'occuper de cet embryon si tu veux qu'il survive parce que moi, je refuse ! » Son consort verrait tout de suite qu'il s'agit d'un bluff.

Le deuxième facteur qui influence l'intérêt relatif porté par les hommes et les femmes aux soins des enfants, c'est la perte de nouvelles occasions de se reproduire. Durant le temps de la grossesse et de l'allaitement, la mère n'est guère en mesure d'être fécondée à nouveau. D'ailleurs, l'émission d'hormones qui accompagne la tétée tend à provoquer une aménorrhée (une interruption du cycle menstruel) pendant la durée de l'allaitement. Ainsi, dans les sociétés de chasse et de cueillette, les enfants d'une même mère naissaient à plusieurs années d'intervalle. Dans nos sociétés modernes, une mère qui remplace l'allaitement par le biberon, ou dont les tétées sont espacées de plusieurs heures, par commodité, retrouve rapidement son cycle menstruel. Cependant, même les mères modernes qui évitent l'allaitement et la contraception accouchent rarement à moins d'un an d'intervalle, et rares sont les femmes qui mettent au monde plus de douze enfants au cours de leur vie. Le record d'enfants nés d'une même femme est de 69 (une Moscovite du XIXe siècle qui s'était spécialisée en triplés), nombre qui paraît phénoménal, mais qui pâlit quand on le compare à la descendance des hommes dont je vais parler ci-dessous.

De tout ceci il résulte qu'une femme honorée par plusieurs hommes ne verrait guère augmenter sa fécondité, et très rares sont les sociétés qui pratiquent couramment la polyandrie. Dans la seule de ces sociétés qui a fait l'objet d'études approfondies, les Tre-ba du Tibet, les femmes ayant deux maris n'ont en moyenne pas plus d'enfants que celles qui n'en ont qu'un. La polyandrie des Tre-ba est liée au système de répartition des terres : des frères épousent souvent la même femme pour éviter de scinder de petites propriétés.

Ainsi, on ne peut pas dire qu'une femme qui « choisit » de s'occuper de ses enfants perd d'exceptionnelles occasions de se reproduire, à la différence d'une phalarope femelle polyandre, qui ne produit en moyenne que 1,3 poussin apte à l'envol avec un partenaire, mais 2,2 poussins si elle réussit à s'approprier deux partenaires, et 3,7 poussins si elle peut s'en approprier trois. De ce point de vue, la femme se démarque aussi de l'homme, dont nous avons discuté de la capacité théorique de féconder toutes les femmes de la

planète. À la différence de la non-rentabilité génétique de la polyandrie pour les femmes Tre-ba,
la polygynie donnait de bons résultats chez les
mormons du XIXe siècle, dont le nombre moyen
d'enfants au cours d'une vie passait de seulement
7, pour les mormons monogames, à 16 ou 20
pour les hommes ayant respectivement 2 et 3
épouses, et à 25 pour les chefs religieux, qui
avaient en moyenne 5 épouses.

Même ces bénéfices de la polygynie sont mo-
destes par rapport aux centaines d'enfants en-
gendrés par les princes modernes, qui peuvent
réquisitionner les ressources d'une société cen-
tralisée pour assurer leurs soins, sans avoir à s'en
occuper directement eux-mêmes. Au XIXe siècle,
un visiteur à la cour du nizām d'Hyderabad, un
prince indien avec un harem particulièrement
important, compta en 8 jours 4 accouchements
d'épouses du nizām, 9 autres étant prévus pour
la semaine suivante. Le record des enfants en-
gendrés est attribué à l'empereur du Maroc,
Ismā'īl le Sanguinaire, père de 700 fils et d'un
nombre non comptabilisé, mais qu'on peut supposer équivalent, de filles. Ces chiffres montrent
clairement qu'un homme qui féconde une femme
puis se consacre à l'entretien de ses enfants risque, par ce choix, de se priver de beaucoup d'occasions de propager ses gènes.

Le troisième et dernier facteur, qui rend les
soins des enfants génétiquement moins intéres-
sants pour l'homme que pour la femme, est le
doute concernant la paternité, doute inévitable
chez les espèces à fécondation interne. Un homme

qui choisit de se consacrer à ses enfants court le risque de se consacrer en fait à ceux d'un rival. Cette réalité biologique est à l'origine d'une multitude de pratiques répugnantes par lesquelles les hommes de différentes sociétés ont cherché à s'assurer de leur paternité, en empêchant leurs femmes d'avoir des rapports sexuels avec d'autres hommes. Parmi ces pratiques, il y a la forte valeur marchande d'une mariée dont la virginité est certifiée ; les lois traditionnelles qui ne définissent l'adultère qu'en fonction du statut marital de la femme (celui de l'homme n'entrant pas en ligne de compte) ; le fait d'affubler les femmes d'un chaperon ou de les enfermer chez elles ; la « circoncision » (clitoridectomie) des femmes visant à diminuer leur prise d'initiative sexuelle, que le contexte soit conjugal ou extra-conjugal ; l'infibulation (la quasi-fermeture des grandes lèvres du clitoris par des points de suture, en l'absence du mari, rendant impossibles les rapports sexuels).

Ces trois facteurs (l'investissement initial moindre du père, les portes qu'il se ferme en se consacrant aux enfants, et le doute quant à sa paternité) font que les hommes abandonnent beaucoup plus facilement conjoint et enfant que les femmes. Cependant, l'homme n'est pas comme le colibri, le tigre, ou le mâle de beaucoup d'autres espèces qui peut partir l'esprit tranquille juste après l'accouplement, confiant dans le fait que sa femelle abandonnée sera à même d'assumer ensuite seule tout le travail nécessaire à la survie de ses gènes. Les nourrissons humains ont

presque toujours besoin des deux parents, surtout dans les sociétés traditionnelles. De fait,
beaucoup, ou la plupart des hommes des sociétés
traditionnelles s'occupent de leurs enfants et de
leur compagne de différentes manières : par l'acquisition et la livraison de nourriture ; en les
protégeant, non seulement des prédateurs, mais
aussi d'autres hommes qui s'intéresseraient à la
mère et considéreraient ses enfants (leurs beaux-
enfants potentiels) comme des obstacles gênants ;
par la possession et l'exploitation de la terre, et la
mise à disposition des fruits de la récolte ; par la
construction d'une maison, l'entretien du jardin,
etc. ; par l'éducation des enfants, surtout des fils,
visant à mettre toutes les chances de leur côté.
Nous verrons cependant au chapitre V que ces
activités masculines, comptabilisées comme soins
prodigués à l'enfant, ont en fait des fonctions
plus complexes qu'il n'y paraît.

L'inégalité des avantages génétiques que retirent respectivement la mère et le père des services qu'ils rendent aux enfants explique largement
les différences bien connues dans le jugement
que portent les hommes et les femmes sur les
rapports sexuels extra-conjugaux. Parce qu'un
enfant humain avait presque toujours besoin de
son père dans les sociétés traditionnelles, les rapports extra-conjugaux les plus profitables pour
un homme sont ceux qui ont lieu avec une
femme mariée dont le mari élèvera sans s'en
douter l'enfant adultérin. Les rapports sexuels
entre un homme et une femme mariée tendent à
augmenter la production d'enfants pour l'homme,

mais pas pour la femme. Cette différence décisive se retrouve dans les motivations de l'adultère, qui ne sont pas les mêmes pour les deux sexes. Des sondages d'opinion, réalisés dans des pays très divers du monde entier, ont montré que les hommes ont plus tendance que les femmes à rechercher la variété dans les rapports sexuels, y compris les aventures sans lendemain et les liaisons de courte durée. Cette attitude n'a rien de surprenant car, comme nous l'avons vu, la variété favorise la transmission des gènes de l'homme, mais pas de ceux de la femme. En revanche, c'est souvent par désenchantement qu'une femme s'engage dans une liaison, y cherchant une relation durable avec un homme mieux à même que son mari de lui procurer des ressources ou de bons gènes.

Chapitre III

POURQUOI LES HOMMES N'ALLAITENT-ILS PAS LEURS NOURRISSONS ?

L'ontogenèse défaillante de la lactation masculine

Aujourd'hui, on attend de nous les hommes que nous participions aux soins de nos enfants. Nous n'avons aucune excuse pour nous défiler, car nous sommes parfaitement capables de faire pour nos enfants presque tout ce que font nos femmes. Aussi, à la naissance de mes fils jumeaux en 1987, ai-je appris à changer les couches, à nettoyer le vomi, et à exécuter les autres tâches qui incombent aux parents.

La seule tâche à laquelle je ne me sentais pas tenu était celle d'allaiter mes enfants. Visiblement, il s'agissait là d'une tâche éprouvante pour ma femme. Des amis, pour plaisanter, m'ont conseillé de me faire injecter des hormones pour partager ce fardeau. Mais de cruelles réalités biologiques semblent s'opposer à ceux qui voudraient étendre l'égalité des sexes à ce dernier bastion du privilège de la femme, ou de la démission de l'homme. Il paraît évident que les mâles n'ont ni le matériel anatomique, ni la mise en condition par la grossesse, ni les hormones nécessaires à la lactation. Jusqu'en 1994, personne n'imaginait la possibilité d'une lactation masculine chez la moindre des 4 300 espèces de mammifères dans des conditions normales. L'absence de lactation masculine apparaît donc comme une affaire classée, doublement hors sujet en ce qui concerne l'originalité de la sexualité humaine. En somme, le caractère féminin de la lactation semble relever de la physiologie plutôt que de l'évolution, et il se présente comme un phénomène commun à tous les mammifères, et non l'apanage de l'espèce humaine.

En fait, la question de la lactation masculine entre de plein droit dans la discussion sur la guerre des sexes. Elle illustre l'échec des explications purement physiologiques et l'importance de l'évolution dans la sexualité humaine. Certes, aucun mammifère mâle n'est jamais tombé « enceint », et la grande majorité d'entre eux ne produisent normalement pas de lait, mais il faut aller plus loin et chercher à comprendre pourquoi l'évolution des mammifères a donné aux seules femelles l'anatomie adaptée, la mise en condition par la grossesse, et les hormones nécessaires à la lactation. Chez les pigeons, le jabot du mâle comme celui de la femelle sécrète du « lait » pour les pigeonneaux ; pourquoi pas chez les hommes aussi bien que chez les femmes ? Chez les hippocampes, c'est le mâle et non la femelle qui porte les petits ; pourquoi n'en est-il pas de même pour les êtres humains ?

La grossesse passe parfois pour nécessaire à la lactation. Pourtant, beaucoup de mammifères femelles peuvent produire du lait sans grossesse préalable, y compris les femmes. Chez beaucoup de mammifères mâles, dont certains hommes, l'injection d'hormones appropriées peut provoquer la croissance des seins et la production de lait. Dans certaines conditions, ces phénomènes peuvent apparaître même sans traitement hormonal. On connaît depuis longtemps la lactation spontanée du bouc d'élevage, et on a signalé récemment le premier cas de lactation mâle chez une espèce à l'état sauvage.

Ainsi, la lactation est du domaine des possibilités physiologiques de l'homme. Comme nous allons le voir, elle se justifierait plus, dans la logique de l'évolution, pour l'homme moderne que pour la plupart des autres mammifères mâles. Mais il demeure que cela ne fait pas partie de notre répertoire normal, ni, à notre connaissance, de celui d'aucun autre mâle en dehors du cas isolé que j'ai cité. Puisque la physiologie n'est pas en cause, pourquoi la sélection naturelle n'a-t-elle pas conduit à la lactation de l'homme ? La réponse à cette question illustre à merveille tous les thèmes liés à l'évolution de la sexualité : les conflits entre mâles et femelles, l'importance d'être sûr de sa paternité ou de sa maternité, les différences d'investissement entre le père et la mère, et l'impossibilité pour une espèce de renier son héritage biologique.

La première approche de ce sujet consiste à faire accepter le principe de la lactation masculine, principe rejeté d'emblée par la certitude qu'une telle lactation est physiologiquement impossible. Dans ce premier chapitre, nous montrerons d'abord que les différences génétiques entre mâles et femelles, y compris celles qui limitent normalement la lactation aux femelles, se révèlent faibles et labiles, ce qui rend envisageable la lactation masculine. Nous chercherons ensuite à déterminer pourquoi cette possibilité théorique reste en général inappliquée.

Au départ, notre sexe est déterminé par nos gènes, qui, dans chacune des cellules du corps humain, se répartissent en vingt-trois paires de paquets microscopiques qu'on appelle les chromosomes. Dans chacune des vingt-trois paires, un chromosome vient de la mère et l'autre du père. Les vingt-trois paires de chromosomes humains présentent des différences d'aspect qui permettent de les reconnaître. Dans les paires 1 à 22, les 2 chromosomes apparaissent identiques au microscope. C'est aussi le cas de la paire 23 chez la femme, qui est constituée de deux chromosomes dits X (chromosomes sexuels). Mais chez l'homme, la paire 23 est constituée de deux chromosomes différents, le chromosome X, et un autre plus petit, le chromosome Y.

À quoi servent les chromosomes dits sexuels, X et Y ? Beaucoup de gènes du chromosome X codent des traits qui n'ont rien à voir avec la sexualité, comme la capacité de distinguer le vert du rouge. Mais le chromosome Y porte les gènes responsables du développement des testicules. Au cours de la cinquième semaine après la fécondation, il se développe chez les embryons des deux sexes une gonade « à double potentiel » qui pourra devenir un testicule ou un ovaire. En présence du chromosome Y, cette gonade s'engage dans la différentiation testiculaire dès la septième semaine. En son absence, la gonade attend la treizième semaine pour engager le processus de transformation en ovaire.

On aurait pu s'attendre à ce que le deuxième chromosome X des filles fabrique des ovaires et que le chromosome Y des garçons fabrique des testicules. Mais les individus anormalement dotés d'un chromosome Y et de deux X se développent plutôt selon le modèle masculin, tandis que les individus qui ont trois chromosomes X, ou un seul, se développent plutôt selon le modèle féminin. Ainsi, la tendance naturelle de notre gonade neutre est de devenir un ovaire si rien ne s'y oppose ; il faut l'intervention d'un chromosome Y pour en faire un testicule.

Il est tentant de formuler ce simple fait en termes partisans. Selon l'expression de l'endocrinologue Alfred Jost, « C'est une entreprise longue, ardue, et risquée que de devenir un mâle ; comme une résistance à la féminité inhérente. » Les phallocrates pourraient aller plus loin dans ce raisonnement et saluer le fait de devenir un homme comme de l'héroïsme, le devenir de femme n'étant qu'un repli sur la solution de facilité. À l'inverse, on pourrait considérer la condition de femme comme la condition naturelle de l'humanité, l'homme n'étant qu'une aberration pathologique qu'il faut malheureusement tolérer pour pouvoir faire d'autres femmes. Contentons-nous de constater que le chromosome Y détourne la gonade de la voie ovarienne et l'aiguille sur la voie testiculaire, en nous gardant de toute dérive métaphysique.

La seule différentiation sexuelle qui relève directement du chromosome Y est la formation de l'ovaire ou du testicule. Les autres différentiations sexuelles résultent de l'absence ou de la présence de testicules. En effet, l'embryon possède des structures bipolaires en plus de la gonade primaire, dont le devenir ne dépend pas directement du chromosome Y, mais de sécrétions testiculaires. La présence de testicules provoque ainsi la différentiation en organes masculins (pénis et prostate), leur absence conduisant à la différentiation vers les organes féminins (vagin).

Par exemple, à la huitième semaine de gestation, les testicules se mettent à produire une hormone stéroïde, la testostérone, dont une partie sera convertie en dihydrotestostérone, un stéroïde très proche. Ces stéroïdes, dits androgènes, fabriquent à partir de certaines structures embryonnaires polyvalentes le gland, la verge et le scrotum ; ces mêmes structures deviendraient, le cas échéant, le clitoris, les petites lèvres et les grandes lèvres. C'est aussi grâce à son double système de conduits, les canaux de Müller et les canaux de Wolff, que l'embryon conserve un temps sa neutralité. En l'absence de testicules, les canaux de Wolff s'atrophient, tandis que les canaux de Müller deviennent l'utérus, les trompes de Fallope, et l'intérieur du vagin du fœtus femelle. En présence de testicules, il se passe le contraire : les androgènes stimulent les canaux de Wolff qui deviennent les vésicules séminales du fœtus mâle, son canal déférent, et son épididyme. En même temps, une protéine testiculaire, l'hormone inhibitrice de Müller, fait ce que son nom indique : elle empêche les canaux de Müller de se développer en organes féminins internes.

Comme le chromosome Y est responsable de l'apparition des testicules, et comme la présence ou l'absence de sécrétions testiculaires détermine le reste des structures mâles ou femelles, on pourrait penser qu'il n'y a aucun risque pour qu'un être humain, à l'issue de son développement embryonnaire, présente une sexualité ambiguë. Le chromosome Y devrait garantir 100 % d'organes masculins, son absence garantissant 100 % d'organes féminins. En fait, il faut passer par toute une série d'étapes biochimiques pour élaborer les structures qui apparaissent après les ovaires et les testicules. Chaque étape implique la synthèse d'une enzyme, codée par un gène. Pour chacune de ces enzymes, il existe un risque de défaillance liée à une mutation du gène correspondant. Un défaut enzymatique pourra donner lieu à un pseudo-hermaphrodite mâle, défini comme quelqu'un qui possède à la fois des organes féminins et des testicules. Chez un pseudo-hermaphrodite mâle présentant un défaut enzymatique, on assiste au développement normal des structures masculines qui dépendent des enzymes intervenant en amont de l'enzyme défectueuse. En revanche, celles qui dépendent de l'enzyme défectueuse elle-même, ou qui sont élaborées au cours des étapes suivantes, ne se développent pas, et laissent la place à leurs équivalents féminins, ou à rien du tout. Il existe par exemple un type de pseudo-hermaphrodite qui a l'apparence d'une femme normale. Et même, « elle » correspond à l'idéal féminin encore plus qu'une vraie femme, par sa poitrine très développée et ses jambes longues et galbées. Ainsi, de superbes mannequins, qui étaient en fait des hommes porteurs d'une mutation génétique, ne s'en sont rendu compte que par des tests génétiques subis à l'âge adulte.

Comme ce type de pseudo-hermaphrodite a tout à fait l'air d'une petite fille normale à la naissance et que son développement extérieur se déroule normalement, y compris à la puberté, le problème n'a aucune raison de se manifester avant l'adolescence, où la jeune « fille » consulte un médecin parce que ses règles tardent à venir. On découvre alors que la patiente n'a ni utérus, ni trompes de Fallope : le vagin s'arrête net au bout de cinq centimètres. Un examen plus poussé révèle des testicules qui sécrètent de la testostérone normale, sont programmés par un chromosome Y normal, et ne sont anormaux que dans la mesure où ils sont enfouis dans l'aine ou dans les lèvres. En d'autres termes, le superbe mannequin est un homme dont la seule anomalie est un blocage d'origine génétique qui l'empêche de réagir à la testostérone.

Ce blocage se situe au niveau du récepteur cellulaire qui capterait normalement la testostérone et la dihydrostérone, permettant à ces deux androgènes de déclencher les étapes suivantes du développement de l'homme. Comme le chromosome Y est normal, les testicules se développent normalement et produisent l'hormone inhibitrice de Müller, qui agit, comme chez tout homme normal, en empêchant le développement de l'utérus et des trompes de Fallope. Mais le développement de la machinerie masculine qui réagirait à la testostérone est interrompu. Ainsi, les organes sexuels bipolaires de l'embryon, qui restent à élaborer, suivent la voie féminine par défaut : les organes sexuels extérieurs sont féminins au lieu d'être masculins, tandis que l'atrophie des canaux de Wolff conduit à des organes génitaux internes masculins. En fait, comme les testicules et les glandes surrénales sécrètent de petites quantités d'œstrogène qui seraient normalement neutralisées par les récepteurs d'androgènes, l'absence totale de tels récepteurs en état de fonctionner (ils sont présents en faible quantité chez les femmes normales) se traduit par un pseudo-hermaphrodite mâle à l'aspect hyperféminin.

Ainsi, les différences génétiques entre les hommes et les femmes sont faibles, en dépit de leurs importantes conséquences. Un petit nombre de gènes du chromosome 23, agissant de concert avec des gènes portés par d'autres chromosomes, détermine toutes les différences entre les hommes et les femmes, qu'il s'agisse des organes reproducteurs eux-mêmes, ou des caractères sexuels secondaires qui apparaissent à la puberté, à savoir la barbe, la pilosité et la mue des garçons, et le développement des seins chez les filles.

Les effets de la testostérone et de ses dérivés chimiques varient avec l'âge, l'organe, et l'espèce. Au-delà du seul développement de la glande mammaire, les différences entre les sexes varient selon l'espèce, même parmi les anthropoïdes supérieurs. Nous savons, par nos visites au zoo ou par l'observation de photos, que le gorille mâle se reconnaît même de loin à sa taille (il pèse deux fois plus que la femelle), à la forme de sa tête, et à la couleur argentée de son dos. De même, les hommes se distinguent des femmes, mais de façon moins flagrante, par leur poids (supérieur de vingt pour cent en moyenne à celui des femmes), par le développement de leur musculature, et par leur barbe. L'ampleur de ces différences varie. La pilosité masculine est par exemple moins prononcée chez les peuples du Sud-Est asiatique et chez les Indiens d'Amérique qu'en Europe et en Asie du Sud-Ouest. Chez certains gibbons, le mâle et la femelle se ressemblent tellement qu'il est impossible de les distinguer, sauf en examinant leurs organes génitaux.

Notons que les mammifères à placenta des deux sexes ont des glandes mammaires. Bien que ces glandes soient en général moins développées et inefficaces chez le mâle, l'importance de ce sous-développement varie d'une espèce à l'autre. À un extrême, on trouve les souris et les rats mâles, dont le tissu mammaire ne forme jamais de conduits ou de mamelon et reste extérieurement invisible. À l'autre extrême, chez les chiens et les primates (dont l'homme), ces structures apparaissent chez les deux sexes, la glande mammaire étant d'ailleurs pratiquement neutre jusqu'à la puberté.

Au cours de l'adolescence, chez les mammifères, les différences visibles entre les sexes s'accentuent sous l'effet d'un mélange d'hormones sécrétées par les gonades, les glandes surrénales et l'hypophyse. Des hormones, émises lors de la grossesse et de l'allaitement, déclenchent une nouvelle poussée mammaire et provoquent la production de lait, qui est ensuite entretenue par réflexe grâce au stimulus de la tétée. Chez les humains, c'est surtout l'hormone prolactine qui contrôle la production de lait, alors que chez les vaches, c'est entre autres la somatotrophine, alias « hormone de croissance » (l'hormone qui est à la source de la controverse sur le projet de stimulation hormonale des vaches laitières).

Soulignons que les différences hormonales entre les mâles et les femelles ne sont pas qualitatives mais quantitatives : une hormone donnée peut se trouver en plus forte concentration dans un sexe que dans l'autre, et avoir des récepteurs en plus grand nombre. En particulier, la grossesse n'est pas le seul moyen d'acquérir les hormones nécessaires à la croissance des seins et à la production de lait. Par exemple, certaines hormones, circulant ordinairement dans le sang, déclenchent la sécrétion de ce qu'on appelle le « lait de sorcière » chez les nourrissons de plusieurs espèces de mammifères. L'injection directe d'œstrogène ou de progestérone, hormones normalement émises lors de la grossesse, déclenche la croissance des seins et la production de lait chez les vaches et les chèvres vierges — mais aussi chez le bœuf, le bouc et le cobaye mâle. Les vaches traitées aux hormones produisent en moyenne autant de lait que leurs demi-sœurs allaitant leurs veaux. Certes, le rendement en lait des bœufs traités aux hormones est très inférieur à celui des vaches vierges ; ne comptez pas trouver du lait de bœuf dans les supermarchés d'ici peu. Mais ceci n'a rien d'étonnant, car les bœufs sont d'emblée limités par leur anatomie : ils ne possèdent pas le pis qui permet aux vaches vierges traitées de loger une glande mammaire bien développée.

On peut citer de nombreuses circonstances dans lesquelles l'injection ou l'application ponctuelle d'hormones provoque une poussée des seins et une sécrétion de lait inopportune chez l'homme, ou chez la femme hors grossesse ou allaitement. Des hommes et des femmes cancéreux sous œstrogène ont sécrété du lait à la suite d'injections de prolactine ; parmi ces patients se trouvait un homme de soixante-quatre ans qui produisait encore du lait sept ans après la fin du traitement. (Ces observations remontent aux années quarante, bien avant que les comités d'éthique en recherche médicale ne réglementent ce genre d'expérience.) Des cas de lactation inopportune ont également été observés chez des consommateurs de tranquillisants agissant sur l'hypothalamus (qui contrôle l'hypophyse, la source de la prolactine) ; on a également observé de tels cas chez des convalescents après une intervention chirurgicale ayant stimulé les réflexes nerveux normalement déclenchés par la tétée, ainsi que chez certaines femmes qui prenaient depuis longtemps des pilules contraceptives à base d'œstrogène et de progestérone. L'exemple que je préfère est celui du macho qui se plaignait constamment des « pauvres petits seins » de sa femme, jusqu'au jour où il constata, horrifié, que ses propres seins s'étaient mis à pousser. Il s'avéra que sa femme s'enduisait généreusement la poitrine de crème à base d'œstrogène pour stimuler la croissance tant désirée par son mari, dont la peau avait également absorbé la crème.

À ce stade, vous avez peut-être l'impression que tous ces exemples sont sans rapport avec la possibilité d'une lactation masculine normale, étant donné qu'ils font appel à des interventions médicales, comme l'injection d'hormones, ou à la chirurgie. Mais une lactation inopportune peut se produire même sans procédure médicale performante : il suffit de masser avec insistance les mamelons pour déclencher la sécrétion de lait chez les femelles vierges de plusieurs espèces de mammifères, y compris les femmes. Cette stimulation mécanique déclenche naturellement la libération d'hormones, grâce aux réflexes nerveux liant les mamelons aux glandes responsables de l'émission d'hormones par l'intermédiaire du système nerveux central. On peut par exemple provoquer la lactation d'une marsupiale sexuellement mature mais vierge simplement en lui mettant au sein le petit d'une autre femelle. La « traite » de chèvres vierges déclenche de même la lactation. Ce principe pourrait *a priori* s'appliquer aux hommes, car la stimulation manuelle des mamelons provoque une poussée de prolactine chez les hommes comme chez les femmes hors allaitement. Il n'est pas excessivement rare qu'un garçon adolescent sécrète du lait après autostimulation des mamelons.

À ce sujet, une lettre envoyée à la rubrique « Dear Abby », très lue aux États-Unis, me vient à l'esprit. Une célibataire sur le point d'adopter un nouveau-né tenait à allaiter le nourrisson et demandait à Abby si la prise d'hormones le lui permettrait. Abby avait répondu : « Ridicule, cela ne servirait qu'à vous faire pousser des poils partout ! » Plusieurs lectrices indignées avaient alors écrit en évoquant des cas de femmes dans des situations semblables, qui avaient réussi à allaiter un nourrisson en le portant au sein à plusieurs reprises.

D'après l'expérience récente de médecins et de spécialistes de l'allaitement, une mère adoptive peut commencer à produire du lait au bout de trois ou quatre semaines. On recommande qu'une mère qui s'apprête à adopter un nourrisson se serve d'un tire-lait plusieurs fois par jour pour simuler la tétée, en commençant un mois avant la date prévue de l'accouchement de la mère naturelle. Bien avant l'avènement des tire-lait modernes, une mère pouvait arriver au même résultat en plaçant un chiot ou un nourrisson humain à plusieurs reprises sur son sein. Dans les sociétés traditionnelles, ce genre de préparation se pratiquait surtout quand une femme enceinte était fragile et que sa propre mère se voulait prête à intervenir si sa fille devait se trouver dans l'incapacité d'allaiter son nourrisson. Parmi les cas signalés, on compte des grand-mères jusqu'à l'âge de soixante et onze ans, ainsi que Noémie, la belle-mère de Ruth. (Si vous êtes sceptiques, ouvrez une Bible au livre de Ruth, chapitre 4, verset 16.)

Chez les hommes sévèrement sous-alimentés, la reprise de poids s'accompagne fréquemment d'une croissance des seins, et parfois d'une lactation spontanée. On a signalé des milliers de tels cas à la libération des camps de concentration et des camps de prisonniers de guerre de la Seconde Guerre mondiale ; un observateur a relevé 500 exemples de ce type parmi les rescapés d'un camp de prisonniers de guerre japonais. L'explication la plus probable est que la malnutrition inhibe non seulement les glandes productrices d'hormones, mais aussi le foie, qui détruit ces hormones. À la reprise d'une alimentation normale, les glandes récupèrent beaucoup plus vite que le foie, ce qui entraîne une montée incontrôlée du niveau d'hormones. Encore une fois, consultez la Bible pour découvrir comment les patriarches de l'Ancien Testament ont anticipé sur les physiologistes modernes : « Job (chapitre 21, verset 24) remarqua d'un homme bien nourri que "ses seins sont pleins de lait" ».

On sait depuis longtemps que beaucoup de boucs, par ailleurs normaux, dotés de testicules normaux et ayant prouvé leur capacité de féconder des chèvres, étonnent leurs propriétaires en acquérant spontanément des pis et en sécrétant du lait. Le lait du bouc ressemble à celui de la chèvre, mais il est encore plus riche en graisses et en protéines. On a aussi observé ce phénomène de lactation spontanée chez un singe en captivité, le macaque brun du Sud-Est asiatique.

En 1994, on a signalé un cas de lactation masculine spontanée chez un animal sauvage, la chauve-souris frugivore de Malaisie et des îles environnantes. On a constaté chez onze mâles adultes capturés vivants des glandes mammaires fonctionnelles dont on pouvait tirer du lait par pression manuelle. Certains de ces mâles avaient les glandes mammaires gonflées de lait, laissant penser qu'en l'absence de tétée le lait s'était accumulé. En revanche, d'autres semblaient avoir été tétés car leurs glandes étant moins gonflées (mais toujours fonctionnelles), comme celles de femelles qui allaitent. De 3 échantillons de chauves-souris frugivores capturées à des saisons et en des lieux différents, 2 comptaient des mâles et des femelles présentant une activité de lactation, ainsi que des femelles enceintes, mais les adultes des deux sexes du troisième échantillon n'avaient aucune activité reproductrice. Ceci porte à croire que chez ces chauves-souris, la lactation des mâles se développe parallèlement à celle des femelles, et fait partie intégrante du cycle reproducteur. Un examen des testicules au microscope révéla un développement tout à fait normal des spermatozoïdes chez les mâles qui présentaient une lactation.

Ainsi, bien que normalement les mères produisent du lait et les pères non, les mâles d'au moins quelques espèces possèdent l'essentiel du matériel anatomique, du potentiel physiologique, et des récepteurs hormonaux nécessaires à la lactation. Les mâles traités aux hormones, ou aux produits qui libèrent ces hormones, peuvent subir une croissance modeste des seins et produire un peu de lait. On a signalé plusieurs cas d'hommes apparemment normaux qui allaitaient des enfants ; l'analyse du lait de l'un d'entre eux a révélé des teneurs en lactose, protéines et électrolytes comparables à celles du lait maternel. Tout ceci suggère que l'évolution aurait facilement pu aboutir à la lactation masculine ; il n'aurait peut-être fallu que quelques mutations pour augmenter l'émission ou diminuer la désintégration des hormones.

Apparemment, l'évolution a voulu que ce potentiel reste à l'état latent dans les conditions normales. Quelques hommes au moins possèdent le matériel nécessaire, mais la sélection naturelle ne nous a tout simplement pas programmés pour nous en servir. Pourquoi pas ?

Pour comprendre pourquoi, il faut abandonner le raisonnement physiologique sur lequel nous nous sommes appuyés tout au long de ce chapitre, et revenir au raisonnement évolutionniste du chapitre II. En particulier, rappelons comment la guerre des sexes avait conduit à la prise en charge des jeunes par la mère seule dans environ 90 % des espèces de mammifères. Pour ces espèces, chez lesquelles les jeunes survivent sans la moindre assistance paternelle, il est évident que la question de la lactation du mâle ne se pose jamais. Non seulement les mâles n'ont pas besoin de produire du lait, mais ils n'ont pas non plus besoin d'apporter de nourriture, de défendre le territoire familial, de défendre ou d'éduquer les jeunes, ou de faire quoi que ce soit d'autre pour leur progéniture. Les intérêts égoïstes du mâle sont mieux servis par la recherche de nouvelles femelles à féconder. Un généreux mâle, porteur d'une mutation le conduisant à allaiter ses petits (ou à en prendre soin de quelque autre manière que ce soit), disparaîtrait rapidement, faute de descendance suffisante face à celle des mâles normaux et égoïstes, dispensés d'allaitement.

Seuls les 10 % d'espèces de mammifères qui ne peuvent se passer de présence paternelle justifient qu'on s'attarde sur la question de la lactation masculine. Au nombre de ces espèces minoritaires on compte les lions, les loups, les gibbons, les ouistitis et les humains. Mais même chez ces espèces qui exigent une contribution paternelle, la lactation n'est pas nécessairement la meilleure forme que puisse prendre cette contribution. Un grand lion se rend utile en mettant en fuite les hyènes et les autres grands lions qui menaceraient ses lionceaux. Il doit patrouiller dans son territoire plutôt que de rester chez lui pour donner la tétée à ses jeunes (ce que la lionne, plus petite, est parfaitement capable de faire) pendant que les ennemis de ses lionceaux s'approchent furtivement. Le père loup se rend surtout utile en quittant son antre pour chasser et rapporter de la viande à la louve, lui laissant le soin de convertir cette viande en lait. Le père gibbon apporte sa contribution en guettant les pythons et les aigles qui pourraient saisir ses petits, et en veillant à expulser les autres gibbons des arbres fruitiers dans lesquels sa compagne et ses jeunes sont en train de se nourrir. Le père ouistiti, lui, passe beaucoup de temps à transporter ses petits jumeaux.

Toutes ces excuses à la non-lactation des mâles n'excluent pas la possibilité qu'il puisse exister quelque autre espèce de mammifère pour laquelle la lactation masculine avantagerait le mâle et ses jeunes. La chauve-souris frugivore de Malaisie pourrait être l'une de ces espèces. Mais, même s'il existait des espèces de mammifères pour lesquelles la lactation du mâle serait avantageuse, sa réalisation se heurte au problème que pose le caractère irréversible du processus évolutif.

L'irréversibilité de l'évolution peut s'expliquer par analogie avec les machines fabriquées par l'homme. Un fabricant de camions peut facilement adapter un modèle de base à des emplois différents, mais proches, comme le transport de meubles, de chevaux ou d'aliments surgelés. Pour remplir toutes ces fonctions, il suffit d'apporter quelques ajustements au compartiment du camion, sans toucher, ou à peine, au moteur, aux freins, à l'essieu, ou aux autres composants essentiels. De même, un fabricant d'avions peut, moyennant de petites modifications, fabriquer à partir du même modèle des avions destinés respectivement au transport de passagers ordinaires, de parachutistes, ou de fret. Mais il n'est pas envisageable de convertir un camion en avion ou vice versa, car un camion est voué à rester camion par plusieurs aspects : son poids, son moteur diesel, son système de freinage, son essieu, et ainsi de suite. Pour construire un avion, on ne partirait pas d'un camion qu'on modifierait ensuite ; on repartirait plutôt de zéro.

Les animaux, eux, ne sont pas conçus de toutes pièces d'une façon qui optimise leur adéquation au mode de vie désiré. Ils évoluent par transformations successives des populations animales déjà existantes. Les mœurs animales évoluent par petits sauts, par accumulation de légères modifications à un modèle de base compatible avec des mœurs différentes, mais liées. Un animal qui, par plusieurs aspects, est bien adapté à un mode de vie bien précis peut ne plus être capable de supporter toutes les adaptations nécessaires à un mode de vie différent, ou mettre très longtemps avant d'y parvenir. Par exemple, une femelle qui pratique la viviparité ne peut pas se mettre à pondre à la façon des oiseaux en se contentant d'expulser son embryon au lendemain de la fécondation. Il faudrait d'abord que l'évolution lui fournisse les mécanismes permettant aux oiseaux de synthétiser le vitellus et la coquille d'œuf, ainsi que d'autres éléments par lesquels les oiseaux sont voués à la ponte.

Rappelons que, si l'on considère les deux grandes classes de vertébrés, les oiseaux et les mammifères, les soins paternels sont la règle pour les premiers et l'exception pour les seconds. Cette différence est l'aboutissement d'une longue série de solutions, différentes pour les oiseaux et les mammifères, au problème de la conduite à tenir devant un œuf tout juste obtenu par fécondation interne. Chacune de ces solutions a exigé toute une série d'adaptations, différentes pour les oiseaux et les mammifères, qui font à présent irréversiblement partie du patrimoine génétique de l'espèce.

La solution des oiseaux consiste pour la femelle à expulser rapidement l'embryon fécondé, emballé avec du vitellus dans une coquille rigide, sous une forme si précoce et si vulnérable que seul un embryologiste pourrait reconnaître qu'il s'agit d'un oiseau. Entre la fécondation et l'extrusion, l'embryon n'a que quelques jours pour se développer dans le corps de la mère. Ce bref développement interne est suivi par un développement externe beaucoup plus long : il faut jusqu'à 80 jours d'incubation avant l'éclosion de l'œuf, et jusqu'à 240 jours de soins à l'oisillon éclos avant que celui-ci soit apte au vol.

Une fois l'œuf pondu, la mère n'est plus indispensable au développement de l'oisillon. Le père peut tout aussi bien que la mère couver l'œuf et, après l'éclosion, approvisionner les oisillons qui, chez la majorité des espèces, mangent la même chose que leurs parents.

Chez la plupart des espèces d'oiseaux, l'entretien du nid, des œufs et des poussins mobilise les deux parents. Dans les cas où un parent suffit, c'est généralement la mère qui s'en charge, pour les raisons développées au chapitre II : la supériorité de l'investissement initial de la mère, le fait que le mâle perdrait plus d'occasions de se reproduire s'il se consacrait aux jeunes, et le doute que fait peser la fécondation interne sur sa paternité. Mais chez les oiseaux, l'investissement interne de la femelle est bien moindre que chez les mammifères, car le jeune oiseau « naît » à un stade beaucoup plus précoce de son développement. Le développement externe, pouvant relever en principe de l'un ou l'autre parent, est bien plus long pour les oiseaux que pour les mammifères. Aucun oiseau n'a de « grossesse » (temps de formation de l'œuf) comparable aux neuf mois de la grossesse humaine, ou même aux douze jours de la plus courte gestation de mammifère, celle des bandicoots.

Les oiseaux femelles sont donc moins vulnérables que les mammifères femelles au chantage qui les contraindrait à se charger des jeunes pendant que le père déserte pour aller flirter. Ceci a des conséquences sur la programmation, non seulement des comportements instinctifs des oiseaux, mais aussi de leur anatomie et de leur physiologie. Chez les pigeons, l'évolution a donné aux deux parents la faculté de nourrir leurs oisillons avec le « lait » de leur jabot. Les soins biparentaux sont la règle chez les oiseaux, et bien que chez les espèces qui pratiquent les soins monoparentaux ce soit en général la mère qui prenne cette responsabilité, il existe des espèces chez lesquelles c'est le père, phénomène inconnu chez les mammifères. Les soins exclusivement paternels ne sont pas le propre des oiseaux pratiquant la polyandrie avec inversion des rôles, mais se retrouvent aussi, entre autres, chez l'autruche, l'émeu et le tinamou.

La solution des oiseaux aux problèmes posés par la fécondation interne, puis par le développement embryonnaire, fait intervenir des structures anatomiques et physiologiques spécialisées. Les oiseaux femelles, mais pas les mâles, possèdent un oviducte dont une portion sécrète de l'albumine (la protéine du blanc d'œuf), une autre fabrique les membranes interne et externe de la coquille, une dernière élaborant la coquille elle-même. Toutes ces structures à régulation hormonale représentent des étapes irréversibles dans l'évolution des oiseaux. Cela fait certainement longtemps que l'évolution des oiseaux a pris cette direction, car la ponte des œufs était déjà répandue chez les reptiles ancestraux, dont les oiseaux ont hérité une bonne partie de leur matériel de fabrication des œufs. Des créatures reconnues comme étant des oiseaux et non plus des reptiles, comme le fameux archéoptéryx, sont apparues, d'après les fossiles retrouvés, il y a 150 millions d'années. Bien qu'on ne connaisse pas le mode de reproduction de l'archéoptéryx, on a déterré un fossile de dinosaure vieux d'environ 80 millions d'années, recouvrant un nid et des œufs, ce qui donne à penser que les oiseaux ont hérité de leurs ancêtres reptiliens la nidification aussi bien que la ponte.

Les oiseaux modernes varient beaucoup dans leur écologie et dans leurs mœurs, entre les aériens, les terrestres et les aquatiques ; du minuscule colibri aux grands oiseaux éléphantesques éteints, des pingouins qui font leur nid en plein hiver antarctique aux toucans des forêts tropicales humides. Mais tous les oiseaux du monde ont en commun la fécondation interne, la ponte, la couvaison, et d'autres traits particuliers à la reproduction des oiseaux, à quelques petites exceptions près. (Les dindons d'Australie et des îles du Pacifique représentent l'une des principales exceptions : pour incuber leurs œufs, ils ont recours à des sources de chaleur extérieures comme la chaleur volcanique, la chaleur du soleil ou la chaleur de fermentation, et non celle du corps.) Si l'on devait réinventer l'oiseau de toutes pièces, on pourrait peut-être trouver une stratégie de reproduction plus efficace, mais tout à fait différente, comme celle des chauves-souris, qui volent comme les oiseaux mais qui se reproduisent par grossesse, viviparité, et allaitement. Quels que soient les avantages de la solution des chauves-souris, elle impliquerait trop de changements importants pour les oiseaux, qui restent acquis à leur propre solution.

La solution résultant de l'évolution des mammifères commence par une grossesse, période obligatoire de développement embryonnaire à l'intérieur de la mère, qui dure beaucoup plus longtemps que chez n'importe quelle mère oiseau. La durée de la grossesse varie de 12 jours chez les bandicoots à 22 mois chez les éléphants. L'importance de l'engagement initial de la femelle mammifère, qui l'empêche de bluffer le mâle pour se dégager de ses engagements futurs, a conduit à la lactation des femelles. La lactation est commune aux trois groupes de mammifères existants (les monotrèmes, les marsupiaux et les placentaux), qui s'étaient déjà différenciés il y a 135 millions d'années. L'allaitement est donc probablement apparu encore plus tôt, chez certains ancêtres reptiles des mammifères, les thérapsidés.

Comme les oiseaux, les mammifères ont inscrit au patrimoine anatomique et physiologique de leur espèce des structures spécialisées pour la reproduction. Certaines de ces structures sont très différentes pour les trois groupes de mammifères, comme le placenta qui permet aux mammifères placentaux de mettre au monde des jeunes relativement matures, la naissance précoce et le long développement post-natal des marsupiaux, et enfin la ponte chez les monotrèmes. Ces caractères spécialisés se sont probablement mis en place il y a plus de 135 millions d'années.

Par rapport aux différences entre les trois groupes de mammifères, ou aux différences entre les mammifères et les oiseaux, il y a peu de variations au sein même de chacun des trois groupes. Aucun mammifère n'a renié la fécondation interne ou l'allaitement. Aucun marsupial ni aucun placental ne s'est jamais mis à pondre. Les différences de lactation d'une espèce à l'autre sont purement quantitatives : un peu plus de ceci, un peu moins de cela. Par exemple, le lait des phoques de l'Arctique est riche en nutriments, en graisses, et presque dépourvu de sucres, alors que le lait de la femme a une teneur plus faible en nutriments, beaucoup de sucres et peu de graisses. Le sevrage, passage du lait maternel aux aliments solides, peut prendre jusqu'à quatre ans dans les sociétés traditionnelles vivant de la chasse et de la cueillette. À l'autre extrême, les cobayes et les gros lièvres sont capables de grignoter des aliments solides quelques jours après la naissance et de se passer de lait peu après. Peut-être les cobayes et les gros lièvres sont-ils en train d'évoluer dans la direction des oiseaux à naissance précoce (nidifuges), comme les poules et les oiseaux limicoles, dont les jeunes sortent de l'œuf les yeux ouverts, capables de courir et de trouver leur propre nourriture, mais pas encore de voler ou de réguler eux-mêmes la température de leur corps. Si la vie sur terre résiste aux déprédations humaines de notre époque, peut-être les descendants des cobayes et des gros lièvres abandonneront-ils leur vocation héréditaire à la lactation... au terme de quelques dizaines de millions d'années.

Ainsi, d'autres stratégies reproductives pourraient fonctionner pour un mammifère, et il semblerait qu'il suffise de quelques mutations pour que le cobaye ou le lièvre nouveau-né puisse se passer tout à fait de lait maternel. Mais cela ne s'est pas produit : les mammifères sont restés acquis à leurs stratégies de reproduction caractéristiques. De même, bien que, comme nous l'avons vu, la lactation masculine soit physiologiquement possible, et bien qu'il semble qu'elle pourrait se faire avec un minimum de mutations, les mammifères femelles ont néanmoins pris beaucoup d'avance sur les mâles dans le perfectionnement de l'aptitude physiologique commune à la lactation. Les femelles, mais pas les mâles, sont soumises à une sélection sur la base de leur production de lait depuis des dizaines de millions d'années. Pour toutes les espèces que j'ai citées pour démontrer que la lactation masculine est physiologiquement possible (les humains, les vaches, les chèvres, les chiens, les cobayes et les chauves-souris frugivores de Malaisie), son rendement est tout de même très inférieur à celui des femelles.

Quoi qu'il en soit, les découvertes passionnantes faites sur les chauves-souris frugivores de Malaisie incitent à se demander si quelque part aujourd'hui, à l'insu de tous, il n'y aurait pas quelque espèce de mammifère dont le mâle et la femelle se partagent, ou pourraient un jour se partager, le fardeau de l'allaitement. On ne sait encore pratiquement rien de l'histoire des chauves-souris frugivores, et il est donc impossible de dire dans quel contexte la lactation mâle est apparue, ni combien de lait le mâle peut fournir réellement à sa progéniture (si jamais il en fournit). Néanmoins, il est facile de prédire, sur des bases théoriques, les conditions qui favoriseraient l'avènement de la lactation masculine : une portée d'enfants qui représente une lourde charge à nourrir ; des paires mâle-femelle monogames ; une forte confiance des mâles dans leur paternité ; une préparation hormonale des pères, pendant que leur compagne est encore enceinte, à un possible allaitement.

Le mammifère qui remplit déjà le mieux certaines de ces conditions est... l'Homme. Le développement des technologies médicales nous permettra peut-être bientôt de les remplir toutes. Avec nos médicaments modernes contre la stérilité et nos techniques sophistiquées de procréation artificielle, les naissances de jumeaux et de triplés deviennent plus fréquentes. L'allaitement de jumeaux humains consomme énormément d'énergie, au point que le métabolisme journalier de la mère de jumeaux approche celui d'un soldat en entraînement intensif. Malgré toutes nos plaisanteries sur l'infidélité, les tests génétiques montrent que la grande majorité des bébés américains et européens testés ont bien pour géniteur le mari de leur mère. Les tests génétiques sur les fœtus deviennent de plus en plus courants et permettent d'ores et déjà à un homme d'être sûr à presque 100 % qu'il est bien le père du fœtus que porte sa femme.

Chez les animaux, la fécondation externe favorise la participation du père à l'élevage des jeunes, alors que la fécondation interne la défavorise. C'est ce qui a découragé cette participation chez d'autres espèces de mammifères, mais qui la favorise à présent chez l'homme, car les techniques de fécondation in vitro, donc externes, sont devenues une réalité pour les humains depuis quelques dizaines d'années. Bien entendu, la grande majorité des enfants dans le monde sont encore conçus naturellement par voie interne. Mais compte tenu du nombre croissant de femmes et d'hommes plus âgés qui désirent concevoir mais n'y parviennent pas, et de la baisse signalée de la fertilité humaine (si elle est réelle), on peut assurer qu'un nombre croissant d'enfants seront produits par fécondation externe, comme les poissons et les grenouilles.

Tous ces facteurs font que l'espèce humaine apparaît comme une des candidates les mieux placées à la lactation masculine. Bien que cette candidature puisse mettre des millions d'années à se réaliser par sélection naturelle, il est en notre pouvoir de court-circuiter le processus évolutif par la technologie. La stimulation manuelle du mamelon, alliée à des injections d'hormones, pourrait rapidement activer le potentiel latent du futur père qui, rassuré sur sa paternité par un test ADN, se mettrait à produire du lait, sans attendre les adaptations génétiques. Les avantages potentiels de la lactation masculine sont nombreux. Elle permettrait aux hommes ce rapport privilégié à l'enfant qui est actuellement l'apanage de la femme. Beaucoup d'hommes, en fait, sont jaloux du lien privilégié créé par l'allaitement, dont la restriction traditionnelle à la femme leur fait éprouver un sentiment d'exclusion. Aujourd'hui, beaucoup de mères dans les sociétés du monde industrialisé ne sont déjà plus en mesure d'allaiter, que ce soit à cause de leur travail, de leur état de santé, ou d'une production insuffisante de lait. Pourtant, non seulement les parents, mais les bébés eux-mêmes retirent beaucoup de bénéfices de l'allaitement. Les bébés nourris au sein acquièrent de meilleures défenses immunitaires et sont moins vulnérables à beaucoup de maladies, dont la diarrhée, les otites, le diabète précoce, la grippe, l'entérocolite ulcéreuse hémorragique, et le syndrome de la mort subite du nourrisson. La lactation masculine pourrait fournir ces bénéfices à l'enfant si la mère était indisponible pour quelque raison que ce soit.

Il faut reconnaître, cependant, qu'il n'y a pas à la lactation masculine que des obstacles physiologiques, possibles à surmonter, mais aussi des obstacles psychologiques. Traditionnellement, les hommes ont toujours considéré que l'allaitement incombait aux femmes : les premiers hommes qui allaiteront leurs enfants seront sans nul doute la risée de beaucoup d'autres. Néanmoins, la reproduction humaine fait déjà de plus en plus appel à des procédés qui auraient paru ridicules il y a quelques dizaines d'années : la fécondation externe sans rapport sexuel, la fécondation de femmes de plus de cinquante ans, la gestation du fœtus d'une femme dans l'utérus d'une autre, la survie de grands prématurés d'un kilo grâce à des couveuses extrêmement sophistiquées. Nous savons à présent que l'exclusivité de la lactation est physiologiquement labile ; peut-être se révélera-t-elle aussi psychologiquement labile. Notre caractéristique la plus importante en tant qu'espèce est sans doute d'être les seuls parmi les animaux à pouvoir faire des choix qui vont à l'encontre de l'évolution. La plupart d'entre nous choisissent de renoncer au meurtre, au viol et au génocide, malgré les avantages qu'ils présentent pour la transmission de nos gènes, et malgré leur fréquence parmi les autres espèces animales et les sociétés humaines plus anciennes. La lactation masculine viendra-t-elle s'ajouter à ces choix contraires à l'évolution ?

Chapitre IV

CE N'EST PAS LE MOMENT

L'évolution du plaisir sexuel

Première scène : Lumières tamisées dans une chambre à coucher où un homme séduisant est allongé sur son lit. Une belle jeune femme en chemise de nuit arrive en courant. Le diamant de son alliance scintille vertueusement à sa main gauche, tandis que sa main droite serre un petit morceau de papier bleu. Elle se penche et embrasse l'homme sur l'oreille.

Elle : « Chéri ! C'est *exactement* le bon moment ! »

Scène suivante : Même chambre, même couple, de toute évidence en train de faire l'amour, mais la lumière tamisée camoufle discrètement les détails. Puis on voit défiler les pages d'un calendrier (pour signaler le temps qui passe), tournées par une main gracieuse parée du même diamant.

Scène suivante : Le même couple superbe, comblé, tenant un bébé propre et souriant.

Lui : « Chérie ! Comme je suis heureux qu'Ovustick nous ait indiqué précisément le bon moment ! »

Dernier plan : Gros plan sur la même main gracieuse, serrant le même petit morceau de papier bleu. En légende, on lit : « Ovu-stick. Test urinaire personnel d'ovulation ».

Si les babouins comprenaient nos spots publicitaires, ils trouveraient celui-ci particulièrement hilarant. Chez les babouins, ni le mâle ni la femelle n'a besoin d'un test hormonal pour détecter l'ovulation de la femelle, c'est-à-dire le moment où ses ovaires libèrent un ovule, et où elle est donc fertile. Au contraire, la vulve de la femelle enfle et vire à un rouge écarlate très voyant. Elle émet aussi une odeur caractéristique. Au cas où un mâle un peu sot n'aurait toujours pas compris, elle s'accroupit devant lui et lui présente son postérieur. Les autres mammifères femelles sont pour la plupart tout aussi conscientes de leur propre ovulation et la signalent aux mâles tout aussi ouvertement par des signes visuels, des odeurs ou des comportements.

Ces babouins femelles nous intriguent avec leur derrière écarlate. En fait, c'est nous les êtres humains qui sortons du lot avec nos ovulations à peine discernables. Les hommes n'ont aucun moyen fiable de déterminer quand leur partenaire est fécondable, et les femmes non plus, tout du moins dans les sociétés traditionnelles. Il est vrai que beaucoup de femmes souffrent de maux de tête ou autres sensations vers le milieu du cycle menstruel. Cependant, elles ne sauraient pas qu'il s'agit là de manifestations de l'ovulation si elles ne l'avaient pas appris par les scientifiques, qui eux-mêmes ne l'ont compris que vers 1930. De même, on peut *apprendre* aux femmes à déceler l'ovulation en surveillant leur courbe de température ou leur mucus, mais on reste bien loin de la connaissance instinctive qu'en ont les autres femelles. Si nous avions nous aussi cette connaissance instinctive, les fabricants de tests d'ovulation et de contraceptifs ne feraient pas de si bonnes affaires.

Nous sommes également différents par la continuité de notre activité sexuelle, conséquence directe de la dissimulation de l'ovulation. La plupart des autres espèces animales limitent leur activité sexuelle à une brève période d'œstrus, autour du moment où se manifeste l'ovulation. (Le mot œstrus dérive d'un mot grec, *oistros*, qui signifie « taon », insecte qui provoque une folle excitation chez le bétail.) Au moment de l'œstrus, la femelle babouin émerge d'un mois d'abstinence pour copuler jusqu'à cent fois, alors qu'une femelle macaque de Barbarie copule en moyenne toutes les dix-sept minutes, accordant ses faveurs au moins une fois à chaque mâle adulte de sa troupe. Les couples monogames que forment les gibbons passent plusieurs années sans rapport sexuel, jusqu'au sevrage du petit dernier, qui conditionne le retour de l'œstrus de la femelle. Les gibbons retombent dans l'abstinence dès que survient une nouvelle grossesse.

Chez les êtres humains, en revanche, les rapports sexuels peuvent se dérouler n'importe quel jour du cycle menstruel. Les femmes peuvent en solliciter à tout moment, et les hommes passent à l'acte sans poser de conditions de fertilité ou d'ovulation. Après des dizaines d'années de recherches, on ne sait toujours pas avec certitude quel moment du cycle correspond au pic de réceptivité sexuelle de la femme, ni même d'ailleurs si la libido féminine présente des variations cycliques. Ainsi, la plupart des copulations humaines ont lieu quand la femme est incapable de concevoir. Non seulement nous faisons l'amour au « mauvais » moment du cycle, mais nous poursuivons notre activité sexuelle pendant la grossesse et après la ménopause, quand nous savons que la fécondation est tout à fait impossible. Beaucoup de mes amis de Nouvelle-Guinée se sentent obligés d'avoir des rapports réguliers jusqu'à la fin de la grossesse, parce qu'ils sont persuadés que ces infusions répétées de sperme fournissent la substance nécessaire à l'élaboration du corps du fœtus.

La sexualité humaine semble effectivement comporter une part de gaspillage monumentale, si l'on se réfère au dogme catholique qui pose la fécondation comme seule justification biologique de l'activité sexuelle. Pourquoi les femmes ne signalent-elles pas clairement leur ovulation comme la plupart des autres femelles, afin que nous puissions limiter notre activité sexuelle aux moments où elle serait productive ? Ce chapitre cherche à expliquer l'évolution de l'ovulation cachée, de la réceptivité sexuelle quasi permanente des femmes, et du plaisir comme but premier de l'activité sexuelle. Ce trio de comportements originaux est au cœur de la sexualité humaine.

À ce stade, vous avez peut-être reconnu en moi l'exemple type du scientifique dans sa tour d'ivoire, cherchant des problèmes là où il n'y en a pas. J'entends d'ici les protestations des plusieurs milliards d'habitants du globe. « Mais il n'y a rien à expliquer, sauf la bêtise de Jared Diamond. Alors ainsi, *vous* ne comprenez pas pourquoi nous faisons tout le temps l'amour ? Mais parce qu'on aime ça, bien sûr ! »

Malheureusement, cette réponse ne satisfait pas les scientifiques. Quand les animaux copulent, eux aussi ont l'air de s'amuser à en croire la concentration qu'ils y mettent. Les souris marsupiales semblent même s'amuser plus que nous si la durée de leur coït (qui peut atteindre douze heures) est un critère fiable. Alors pourquoi la plupart des animaux ne considèrent-ils la sexualité comme un plaisir que quand la femelle est fécondable ? N'oublions pas que le comportement évolue grâce à la sélection naturelle, tout comme l'anatomie. Ainsi, si la sexualité procure du plaisir aux humains, c'est certainement le fait de la sélection naturelle. Certes, les chiens prennent aussi du plaisir à copuler, mais seulement quand il le faut : l'évolution a donné aux chiens, comme à la plupart des autres animaux, le bon sens d'apprécier les rapports sexuels quand ils peuvent servir à quelque chose. Or on sait que la sélection naturelle favorise les individus dont le comportement permet la transmission de leurs gènes à la plus nombreuse descendance possible. Comment cette folie qui consiste à faire l'amour à des moments où la conception est impossible peut-elle permettre de faire plus d'enfants ?

Une illustration simple de la finalité de l'activité sexuelle chez la plupart des espèces est fournie par le gobe-mouches noir, l'oiseau dont j'ai parlé au chapitre II. Normalement, la femelle ne sollicite l'accouplement que quand ses œufs sont prêts à être fécondés, quelques jours avant la ponte. Une fois qu'elle a commencé à pondre, elle ne cherche plus du tout à copuler : elle résiste aux avances des mâles, ceux-ci ne lui inspirant que la plus parfaite indifférence. Mais lorsqu'une équipe d'ornithologues, une fois la ponte accomplie, rendit veuves vingt femelles en leur retirant leur partenaire, on vit six de ces vingt veuves expérimentales solliciter l'accouplement auprès de nouveaux mâles au bout de deux jours ; trois d'entre elles copulèrent effectivement, sans préjuger des autres accouplements qui ont pu avoir lieu à l'insu des observateurs. De toute évidence, ces femelles essayaient de tromper les mâles en leur faisant croire qu'elles étaient fertiles et disponibles. Quand les œufs finiraient par éclore, les mâles n'auraient aucun moyen de savoir que c'était un autre mâle qui avait engendré la couvée. Dans quelques cas au moins, la ruse réussit, et les mâles procédèrent à l'entretien des oisillons comme l'aurait fait le père naturel. Rien donc ne donne à penser que ces femelles étaient de joyeuses veuves, recherchant le seul plaisir.

L'exception humaine que représentent la dissimulation de l'ovulation, la réceptivité permanente et l'importance du plaisir dans notre sexualité, s'explique forcément par l'évolution. Il est tout particulièrement paradoxal que chez l'*Homo sapiens*, seule espèce capable de porter un regard sur elle-même, la femelle ne soit pas consciente de sa propre ovulation, contrairement à une femelle aussi bête que la vache. Il a fallu que quelque chose de singulier intervienne pour cacher sa propre ovulation à une femelle aussi perspicace et aussi avertie que la femme. Comme nous allons le voir, ce quelque chose s'est révélé beaucoup plus difficile à cerner qu'on ne l'aurait cru.

Il y a une raison simple pour laquelle les autres animaux sont avares de leurs efforts copulatoires : l'activité sexuelle est coûteuse en énergie, en temps, et comporte des risques importants. J'énonce ci-dessous les raisons pour lesquelles il vaut mieux ne pas aimer son ou sa bien-aimé(e) plus que de raison.

1. La production de sperme est coûteuse pour les mâles : les vers de terre porteurs d'une mutation qui réduit la production de sperme vivent plus longtemps que les autres.

2. Le temps perdu en rapports sexuels aurait pu être consacré à la recherche de nourriture.

3. Un couple enlacé risque d'être surpris et tué par un prédateur ou un ennemi.

4. Les individus plus âgés succombent parfois à l'effort du coït : l'empereur Napoléon III a fait un infarctus en pleine action, et le magnat du pétrole Nelson Rockefeller y a laissé la vie.

5. Les combats de mâles pour la possession d'une femelle en œstrus entraînent souvent des

blessures sévères, pour la femelle aussi bien que pour le mâle.

6. Il est risqué de se faire prendre lors d'ébats extra-conjugaux, y compris (comme en témoignent de tristes faits divers) pour les humains.

Ainsi, nous gagnerions à être aussi efficaces sexuellement que les autres animaux. Quelles compensations tirons-nous de ce qui peut passer pour un regrettable manque d'efficacité ?

L'intérêt des scientifiques tend à se porter sur une autre de nos originalités : la vulnérabilité du nourrisson humain impose plusieurs années de soins parentaux intensifs. Les petits de la plupart des mammifères commencent à se procurer leur propre nourriture dès le sevrage, et deviennent parfaitement autonomes peu après. Ainsi, la plupart des mères mammifères parviennent à élever leurs jeunes sans la moindre assistance du père, qu'elles ne fréquentent que pour copuler. Les humains, en revanche, obtiennent leur nourriture grâce à des technologies complexes qui sont bien au-delà des capacités mentales ou de la dextérité du nouveau-né. En conséquence, nos enfants ont besoin d'être alimentés au moins 10 ans après le sevrage, ce qui se fait beaucoup plus facilement à deux. Même aujourd'hui, il est difficile pour une mère célibataire d'élever seule ses enfants, et cela était encore plus vrai à l'époque préhistorique où nous étions des chasseurs-cueilleurs.

Considérons à présent le dilemme auquel est confronté une femme des cavernes tout juste fécondée. Dans le cas de quelque autre mammifère, le mâle responsable de la fécondation partirait aussitôt à la recherche d'une autre femelle réceptive. Pour la femme des cavernes, par contre, le départ du mâle exposerait l'enfant à naître au risque de mourir affamé ou assassiné. Que faire pour retenir son homme ? La solution brillante : prolonger sa réceptivité sexuelle au-delà de l'ovulation ! Assurer la satisfaction de l'homme en lui permettant de copuler quand il le désire ! Ainsi, n'ayant aucune raison de chercher ailleurs, il restera et partagera même le butin quotidien de la chasse. Le plaisir sexuel fonctionne donc comme une sorte de ciment qui assure la cohésion du couple le temps d'élever ensemble leur enfant sans défenses. Tel est l'essentiel de la théorie des anthropologues, et elle paraît tout à fait défendable.

Cependant, en approfondissant notre connaissance du comportement animal, nous avons fini par nous rendre compte que cette théorie, qui met la sexualité au service de la famille, comporte des lacunes. Les chimpanzés, et surtout les bonobos, s'accouplent encore plus souvent que nous (jusqu'à sept fois par jour), et pourtant ils pratiquent la promiscuité et n'ont donc pas de couple à cimenter. À l'inverse, on peut citer beaucoup d'espèces où le mâle n'a pas besoin de corruption sexuelle pour l'inciter à rester avec sa partenaire et leur progéniture. Les gibbons, qui forment des couples monogames, restent des années sans s'accoupler. Vous pouvez observer par votre fenêtre des oiseaux chanteurs mâles qui collaborent assidûment avec leur partenaire à l'alimentation des oisillons, bien que leurs copu-

lations aient cessé à la fécondation. Même un gorille mâle polygyne n'a que quelques occasions
de s'accoupler par an ; la plupart du temps, ses
partenaires allaitent ou ne sont pas en œstrus.
Pourquoi les femmes ne pourraient-elles retenir
leur mâle qu'au prix d'une disponibilité permanente et pas ces autres femelles ?

Il y a une différence essentielle entre nos couples humains et les couples abstinents qu'on
trouve chez d'autres espèces. Les gibbons, la
plupart des oiseaux chanteurs, et les gorilles vivent dispersés dans la nature, chaque couple (ou
harem) occupant son territoire propre. En conséquence, les rencontres avec de possibles partenaires extra-conjugaux sont peu fréquentes. Ce
qui caractérise le mieux la société humaine est
peut-être le fait que les couples s'associent et
collaborent économiquement au sein de larges
groupes. Pour trouver un mode de vie semblable
dans le règne animal, il faut laisser de côté les
mammifères et se tourner vers les oiseaux de
mer, qui se regroupent en colonies très denses au
moment de construire leur nid. Cependant,
même les couples d'oiseaux de mer ne tissent pas
de liens économiques intercouples aussi serrés
que ceux des communautés humaines.

Le dilemme sexuel humain, donc, est que le
père et la mère doivent collaborer pendant des
années pour élever leurs enfants vulnérables,
malgré la tentation que représente la proximité
d'autres adultes fertiles. Cependant, le spectre
des conflits conjugaux liés à cette tentation, qui
peuvent gravement compromettre la collabora-

tion parentale, est omniprésent dans nos sociétés humaines. D'une manière ou d'une autre, nous avons mis au point notre système original, associant mariage, collaboration parentale, et tentation adultère. Comment tout cela s'organise-t-il ?

L'appréciation tardive de ce paradoxe par les scientifiques a engendré une avalanche de théories concurrentes, qui tendent à refléter le sexe de leurs auteurs respectifs. Il y a par exemple la théorie de la prostitution avancée par un scientifique : l'évolution a conduit les femmes à proposer leurs faveurs sexuelles aux chasseurs mâles en échange de dons de viande. Un autre scientifique, assimilant l'adultère à une quête de meilleurs gènes, pense qu'une femme des cavernes ayant la malchance d'avoir été mariée par son clan à un mâle peu efficace pourrait, grâce à sa réceptivité permanente, attirer et se faire féconder par un voisin doté d'un meilleur génotype.

Il y a aussi la théorie anticontraceptive, proposée cette fois-ci par une scientifique, bien consciente que l'accouchement est particulièrement pénible et dangereux pour la femme car, proportionnellement au poids de la mère, le poids du nouveau-né humain est beaucoup plus important que celui des grands singes. Une femme de 50 kilos mettra au monde un petit de 3 kilos en moyenne, alors qu'une guenon gorille deux fois plus grosse (de 100 kilos) mettra bas un bébé deux fois plus petit (d'un kilo et demi). En conséquence, les mères humaines mouraient souvent en couches avant l'avènement des soins médicaux modernes. Même aujourd'hui, les femmes

ont encore besoin, pour accoucher, de l'aide d'obs-
tétriciens et d'infirmières dans les sociétés industrialisées, de sages-femmes ou d'anciennes dans
les sociétés traditionnelles. Les gorilles, elles,
accouchent seules et, à notre connaissance, ne
meurent jamais en couches. Ainsi, d'après la
théorie anticontraceptive, les femmes des cavernes, conscientes de la douleur et des risques de
l'enfantement, et conscientes aussi du jour de leur
ovulation, se sont servies de leur savoir à de « mauvaises » fins, en évitant de s'accoupler ce jour-là.
Ces femmes n'ont pas transmis leurs gènes, laissant le monde peuplé de femmes qui ignorent la
date de leur ovulation et ne peuvent donc pas
éviter de s'accoupler en période fertile.

De cette pléthore d'hypothèses cherchant à expliquer la dissimulation de l'ovulation, on en retient deux, que j'appellerai la théorie du « papa à
la maison » et la théorie des « pères multiples »,
comme étant les plus plausibles. On remarquera
que ces deux théories sont presque diamétrale-
ment opposées. La première affirme que la dissimulation de l'ovulation s'est développée pour
promouvoir la monogamie : elle contraindrait
l'homme à rester à la maison, renforçant de ce
fait sa certitude d'être le père des enfants de sa
femme. La seconde, au contraire, soutient que
l'ovulation cachée s'est imposée pour donner à la
femme accès à une multiplicité de partenaires
sexuels, ceux-ci restant dans le doute quant à
leur éventuelle paternité.

Pour comprendre la théorie du papa à la
maison, élaborée par les biologistes Richard

Alexander et Katharine Noonan de l'Université du Michigan, imaginez ce que serait la vie d'un couple marié si les femmes *affichaient* ouvertement leurs ovulations, comme le font les babouins femelles avec leur derrière rouge vif. Un mari reconnaîtrait à coup sûr, à la couleur du derrière de sa femme, le jour de son ovulation. Ce jour-là, il resterait à la maison et lui ferait assidûment l'amour de façon à la féconder et à transmettre ses gènes. Tous les autres jours, il constaterait au pâle derrière de sa femme l'inutilité d'un rapport sexuel. Il partirait alors à la recherche d'autres dames, écarlates et sans surveillance, pour les féconder elles aussi et transmettre encore plus de ses gènes. Le fait de laisser sa femme seule à la maison ne lui inspirerait aucune inquiétude, puisqu'il la saurait sexuellement non réceptive et de toute façon incapable de concevoir. C'est d'ailleurs ce qui se passe chez les oies, les mouettes, et les gobe-mouches noirs.

Pour les humains, les conséquences de ces mariages à ovulation affichée seraient catastrophiques. Le père serait rarement là, la mère ne réussirait pas à élever seules ses enfants, et de très nombreux bébés mourraient. Ce serait mauvais pour la mère, *mais aussi* pour le père, car aucun des deux ne réussirait à propager ses gènes.

Imaginons à présent le scénario inverse, où le mari ignore quand sa femme est fertile. S'il veut avoir de bonnes chances de la féconder, il faut qu'il reste auprès d'elle pour lui faire l'amour le plus souvent possible. En outre, sa présence lui permet aussi de ne pas rater l'ovulation de sa femme au profit d'un autre homme : si par malchance l'absence d'un mari volage devait coïncider avec l'ovulation de sa femme, un autre pourrait en profiter pour la féconder pendant que l'infidèle, lui, gaspille sa semence adultère dans le lit d'une autre femme, qui n'est de toute façon probablement pas en train d'ovuler à ce moment-là. Dans ce cas de figure, donc, un homme a moins de raisons de chercher ailleurs, puisqu'il ignore lesquelles de ses voisines sont fertiles. On obtient un résultat réconfortant : le père reste et participe aux soins des enfants, qui donc survivent. C'est bien pour la mère comme pour le père, qui réussissent ainsi tous deux à transmettre leurs gènes.

En somme, Alexander et Noonan avancent que c'est la physiologie caractéristique des femelles humaines qui contraint les maris à rester à la maison (en tout cas, plus qu'ils ne le feraient autrement). La femme gagne à enrôler un « co-parent ». Mais l'homme y gagne aussi, *à condition* de respecter les principes de fonctionnement du corps de sa femme. En restant à la maison, il s'assure que l'enfant qu'il contribue à élever portera effectivement ses gènes. Il n'a pas à craindre que, pendant qu'il part chasser, sa femme (comme la femelle babouin) se mette à exhiber un derrière rouge vif pour signaler son ovulation imminente, attirant ainsi une foule de prétendants et copulant publiquement avec tous les hommes en vue. Les hommes acceptent ces règles de base au point de continuer de s'accoupler avec leur femme pendant la grossesse et après la ménopause, même s'ils savent que la fécondation est impossible. Ainsi, d'après Alexander et Noonan, la dissimulation de l'ovulation et la réceptivité permanente des femmes se sont imposées dans le but d'assurer la monogamie, les soins paternels, et la confiance des pères en leur paternité.

À l'opposé de cette interprétation, il y a la théorie des pères multiples élaborée par l'anthropologue Sarah Hrdy de l'Université de Californie à Davis. Les anthropologues reconnaissent depuis longtemps que l'infanticide était autrefois courant dans beaucoup de sociétés traditionnelles, même s'il est aujourd'hui interdit. Mais jusqu'à de récentes études sur le terrain, menées par Hrdy et d'autres, les zoologues n'évaluaient pas à quel point l'infanticide est répandu chez d'autres animaux. On l'a observé chez nos parents les plus proches, les chimpanzés et les gorilles, ainsi que pour toute une palette d'autres espèces allant des lions aux chiens de chasse africains. L'infanticide est généralement le fait d'un mâle adulte à l'encontre des petits d'une femelle avec laquelle il n'a jamais copulé ; c'est ce qui peut se passer quand un envahisseur essaie de supplanter un mâle en place et de s'approprier son harem de femelles. L'usurpateur « sait » que les jeunes qu'il tue ne sont pas les siens.

Naturellement, l'infanticide nous horrifie et nous incite à chercher à comprendre pourquoi les animaux, et autrefois les humains, le pratiquent si souvent. À la réflexion, on voit que l'assassin y gagne un avantage génétique assez monstrueux. En effet, une femelle qui allaite n'ovule généralement pas. Comme un mâle qui vient de s'approprier une troupe n'a aucun lien génétique avec les nourrissons qui s'y trouvent, il n'hésitera pas à les tuer, mettant ainsi fin à la lactation de la mère et provoquant la reprise de ses cycles ovulatoires. Dans beaucoup ou la plupart des cas d'infanticide et d'appropriation, l'assassin procède à la fécondation de la mère éplorée, qui enfante un nourrisson portant ses gènes.

En tant que cause majeure de mortalité des nourrissons, l'infanticide pose un sérieux problème d'évolution pour les mères, qui perdent ainsi l'investissement génétique que représentaient leurs jeunes assassinés. Une gorille femelle typique perd au cours de sa vie au moins un rejeton tué par un gorille mâle cherchant à s'approprier le harem auquel elle appartient. En fait, plus du tiers des morts de bébés gorilles sont imputables à l'infanticide. Si une femelle n'a qu'un bref œstrus, clairement signalé, le mâle dominant peut facilement la monopoliser à ce moment-là. Tous les autres mâles « savent » en conséquence que le nourrisson résultant de l'union est celui de leur rival, et n'auront aucun scrupule à le tuer.

Mais supposons que la femelle ait des ovulations cachées et une réceptivité permanente. Elle peut alors mettre ces avantages à profit en copulant avec beaucoup de mâles, même si elle doit le faire subrepticement, en cachette de son consort. Bien qu'aucun mâle ne puisse alors être sûr de sa paternité, beaucoup de mâles reconnaissent qu'ils *pourraient* avoir engendré le futur nourrisson. Si l'un de ces mâles réussit ensuite à chasser le consort de la mère et à s'approprier cette dernière, il évitera de tuer son nourrisson dont il pourrait très bien être le père. Il pourrait même veiller au bien-être de ce nourrisson en lui accordant sa protection et d'autres formes de soins paternels. L'ovulation cachée de la mère permettra aussi de diminuer la fréquence des combats de mâles au sein de sa troupe, parce qu'un accouplement occasionnel a peu de chances d'être fécond et ne justifie donc pas un combat.

Pour comprendre à quel point une femelle peut brouiller les pistes en cachant son ovulation, examinons le vervet, ou singe vert d'Afrique, connu de tous ceux qui se sont rendus un jour dans une réserve naturelle d'Afrique orientale. Les vervets forment des troupes comptant jusqu'à sept mâles adultes et dix femelles adultes. Comme les femelles ne signalent leur ovulation par aucun changement anatomique ou comportemental, la biologiste Sandy Andelman, après avoir repéré un acacia abritant une bande de vervets, se posta sous cet arbre munie d'un entonnoir et d'un flacon, recueillit l'urine des femelles à chaque fois qu'elles se soulageaient, et y rechercha des indicateurs hormonaux d'ovulation. Parallèlement, Andelman suivit les copulations qui se déroulaient au sein de la troupe. Elle constata que les femelles commençaient à copuler bien avant l'ovulation, continuaient bien après, et n'atteignaient leur réceptivité sexuelle maximale qu'au milieu de leur grossesse.

À ce moment, le ventre de la femelle n'était pas encore visiblement gonflé, et les mâles trompés ne soupçonnaient pas qu'ils gaspillaient leurs efforts. Les femelles mettaient enfin un terme à leur activité sexuelle dans la deuxième moitié de la grossesse, quand il n'était plus possible de tromper les mâles. Cela laissait quand même à la plupart des mâles le temps de copuler avec la plupart des femelles de la troupe. Un tiers des mâles réussirent à copuler avec toutes les femelles. Ainsi, en dissimulant leur ovulation, les vervets femelles s'assuraient de la neutralité bienveillante de presque tous les assassins en puissance de leur voisinage immédiat.

En bref, Hrdy considère la dissimulation de l'ovulation comme une adaptation évolutive des femelles leur permettant de réduire au minimum la menace que représentent les mâles adultes pour la survie de leurs jeunes. Là où Alexander et Noonan voyaient la dissimulation de l'ovulation comme un facteur de clarification de la paternité qui renforce la monogamie, Hrdy considère qu'elle sème la confusion et détruit la monogamie.

À ce stade, vous commencez peut-être à vous inquiéter d'une possible complication commune aux deux théories. Pourquoi les femmes n'ont-elles pas conscience de leur propre ovulation, alors que dans les deux cas de figure, seule l'ignorance des hommes est nécessaire ? Pourquoi, par exemple, la femme n'aurait-elle pas pu garder le même derrière pâle tous les jours du mois pour tromper les hommes, tout en restant elle-même consciente des sensations accompagnant l'ovulation et en simulant le désir quand un homme frétillant l'aborde en période stérile ?

La réponse devrait être évidente : il serait difficile pour une femme de simuler la réceptivité sexuelle de façon convaincante en dépit de son manque d'intérêt et tout en sachant la conception impossible. Ce point est particulièrement applicable au cas de figure du papa à la maison. Quand une femme participe à une relation monogame et durable où les partenaires finissent par se connaître intimement, il serait très difficile pour elle de tromper son mari, à moins de s'abuser elle-même.

La théorie des pères multiples est plausible pour les espèces animales (et peut-être pour les sociétés humaines traditionnelles) dans lesquelles l'infanticide représente un gros problème. Mais cette théorie semble difficile à concilier avec la société moderne telle que nous la connaissons. Certes, les rapports extra-conjugaux existent, mais les doutes quant à la paternité demeurent l'exception et non la règle dans nos sociétés. Les tests génétiques montrent qu'au moins 70 %, peut-être même 95 % des enfants anglais et américains, sont légitimes, c'est-à-dire que leur père est bien le mari de leur mère. On ne peut pas vraiment dire que chaque enfant soit entouré de nombreux hommes bienveillants et protecteurs qui le comblent de cadeaux, tout en se disant : « C'est peut-être moi le vrai père ! »

Il paraît donc peu probable que la prévention de l'infanticide soit ce qui sous-tend la réceptivité permanente des femmes aujourd'hui. Néanmoins, comme nous allons le voir à présent, cette motivation a pu exister dans un passé lointain, avant que s'y substituent d'autres facteurs.

Comment, alors, évaluer ces deux théories concurrentes ? Comme tant d'autres interrogations sur l'évolution humaine, on ne peut résoudre celle-ci de la manière préconisée par les chimistes et les biologistes moléculaires, en manipulant des tubes à essai. Certes, nous aurions un test concluant s'il existait une population humaine dont on pourrait rendre les femmes écarlates à l'ovulation et frigides le reste du temps, et où l'on pourrait faire en sorte que les hommes ne soient attirés que par des femmes écarlates. Nous verrions alors si cela se traduisait par des hommes plus volages et moins attentifs à leurs enfants (comme le prédit la théorie du papa à la maison) ou par des hommes moins volages et plus sanguinaires à l'encontre des petits des autres (comme le prédit la théorie des pères multiples). Malheureusement pour la science, ce genre de test est pour le moment impraticable, et restera immoral, même si le génie génétique réussit un jour à le rendre réalisable.

Mais on peut avoir recours à une méthode efficace, celle que les biologistes évolutionnistes préfèrent, pour résoudre ce genre de problème. C'est ce qu'on appelle la méthode comparative. Il se trouve que la dissimulation de l'ovulation n'est pas le propre de l'être humain. Bien qu'elle fasse figure d'exception dans le règne des mammifères, elle est relativement fréquente chez les primates supérieurs (les singes et les grands singes), groupe auquel nous appartenons. Il existe des douzaines de primates qui ne présentent aucun signe extérieur d'ovulation ; bien d'autres la signalent faiblement, d'autres encore l'affichent ouvertement. C'est par tâtonnements que la nature a abouti à ces différences, par le jeu des avantages et des inconvénients de l'ovulation cachée. La comparaison des différentes espèces de primates nous permettra de déterminer quels sont les caractères propres aux espèces à ovulation cachée.

Cette comparaison éclaire nos connaissances en matière de sexualité humaine. Elle a été le sujet d'une importante étude réalisée en quatre étapes par les biologistes suédois Birgitta Sillén-Tullberg et Anders Møller.

PREMIÈRE ÉTAPE. Pour autant d'espèces de primates supérieurs que possible (68 en tout), Sillén-Tullberg et Møller ont dressé un tableau des signes visibles d'ovulation. Haha ! protesterez-vous peut-être immédiatement, mais visibles pour qui ? Un singe peut émettre des signaux invisibles pour nous, humains, mais qu'un autre singe reconnaîtra parfaitement, comme une odeur (phéromone). Par exemple, on sait que les éleveurs de bétail qui essaient de réaliser une insémination artificielle sur une vache laitière primée arrivent difficilement à déterminer le moment de l'ovulation. Les taureaux, en revanche, le deviennent tout de suite à l'odeur et au comportement de la vache.

Il est vrai qu'on ne peut pas faire abstraction de ce problème, mais il se pose plus pour les vaches que pour les primates supérieurs. La plupart des primates nous ressemblent en ce qu'ils sont actifs le jour, qu'il dorment la nuit, et qu'ils se fient surtout à leurs yeux. Un rhésus mâle, dont l'odorat ne fonctionne pas, peut tout de même reconnaître une femelle qui ovule à la couleur rougeâtre que prend sa vulve, bien que ce rougissement soit loin d'être aussi flagrant que chez la femelle babouin. Pour les espèces de singes chez lesquels nous, humains, ne reconnaissons pas de signes apparents d'ovulation, on constate souvent que les singes mâles n'en détectent pas non plus, étant donné qu'ils copulent à des moments tout à fait inopportuns, par exemple avec des femelles hors œstrus ou enceintes. Ainsi, notre évaluation de ce qui est un « signe visible » n'est sans doute pas à rejeter.

Les chercheurs ont constaté, à l'issue de cette première étape d'analyse, que près de la moitié des primates étudiés (32 sur 68) sont comme les humains dépourvus de signes visibles d'ovulation. Dans cette catégorie on trouve les vervets, les ouistitis et les atèles (singes-araignées), ainsi qu'un grand singe, l'orang-outan. Dix-huit autres espèces, dont nos proches parents les gorilles, émettent de faibles signaux. Les 18 espèces restantes, dont les babouins et nos proches parents les chimpanzés, affichent ouvertement leur ovulation.

DEUXIÈME ÉTAPE. Ensuite, Sillén-Tullberg et Møller ont classé ces 68 espèces selon leurs mœurs sexuelles. 11 espèces, dont les ouistitis, les gibbons, et beaucoup de sociétés humaines, sont monogames. 23, dont certaines sociétés humaines et les gorilles, ont des harems de femelles contrôlés par un mâle. Mais le plus grand nombre de ces primates, 34, dont les vervets, les bonobos et les chimpanzés, pratiquent la promiscuité, les femelles s'associant et copulant couramment avec de très nombreux mâles.

À nouveau je vous entends vous exclamer Haha ! Pourquoi ne classe-t-on pas les humains parmi les animaux qui pratiquent la promiscuité ? Parce que j'ai pris soin de préciser *couramment*. Certes, la plupart des femmes ont plusieurs partenaires sexuels successifs au cours de leur vie, et beaucoup de femmes en ont, à l'occasion, plusieurs en même temps. Cependant, au cours d'un cycle œstrus donné, la norme est qu'une femme ait un seul partenaire, alors que pour une femelle vervet ou bonobo la multiplicité des partenaires constitue la norme.

TROISIÈME ÉTAPE. Pour l'avant-dernière étape, Sillén-Tullberg et Møller ont fait la synthèse des deux premières, en posant la question suivante : existe-t-il un lien entre le degré de perceptibilité de l'ovulation et les mœurs sexuelles des primates ? Une interprétation naïve pourrait laisser croire que l'ovulation cachée caractérise les espèces monogames, si la théorie du papa à la maison est à retenir, mais qu'elle caractérise les espèces pratiquant la promiscuité si l'on se fie à la théorie des pères multiples. On trouve que l'écrasante majorité des espèces de primates monogames étudiées (10 sur 11), dissimulent leur ovulation. Aucune espèce de primate monogame n'affiche ouvertement son ovulation, ce dernier comportement étant en général (14 cas sur 18) réservé aux espèces pratiquant la promiscuité. Ceci semble étayer la théorie du papa à la maison.

Cependant, les prédictions énoncées ci-dessus ne correspondent qu'à moitié à la théorie, parce que les corrélations inverses ne se vérifient pas du tout. Bien que l'ovulation soit cachée chez la plupart des espèces monogames, la dissimulation de l'ovulation ne garantit pas la monogamie. Des 32 espèces à ovulation cachée, vingt-deux ne sont pas monogames, mais pratiquent la promiscuité ou la polygynie. Parmi les espèces à ovulation cachée, on trouve les singes de nuit monogames, les humains généralement monogames, les singes presbytinés polygynes, et les vervets qui pratiquent la promiscuité. Ainsi, quelle qu'ait été la cause première de l'ovulation cachée, on la retrouve aujourd'hui associée aux mœurs sexuelles les plus diverses.

De même, bien que la plupart des espèces qui ont une ovulation affichée pratiquent la promiscuité, l'une n'est pas garantie par l'autre. En fait, la plupart des primates qui pratiquent la promiscuité (20 espèces sur 34) signalent peu ou pas leur ovulation. Les espèces polygynes peuvent également avoir une ovulation cachée, faiblement signalée, ou très apparente, selon l'espèce. Ces complexités nous avertissent que sa dissimulation a en fait différentes fonctions, qui varient selon les mœurs sexuelles auxquelles elle est associée.

QUATRIÈME ÉTAPE. Pour identifier ces différentes fonctions, Sillén-Tullberg et Møller ont eu l'idée brillante d'étudier l'arbre généalogique des primates existants. Ils espéraient ainsi pouvoir repérer à quels moments de l'évolution le signalement de l'ovulation et les mœurs sexuelles s'étaient modifiés. Leur raisonnement était que certaines espèces modernes très proches, qu'on pouvait donc supposer dérivées d'un ancêtre commun, présentent des écarts importants dans leurs pratiques sexuelles et dans l'intensité de leurs signaux ovulatoires. Ceci implique une évolution récente des mœurs sexuelles ou des signaux.

Voici un exemple de raisonnement. Nous savons que les êtres humains, les chimpanzés, et les gorilles partagent 98 % de leur patrimoine génétique et qu'ils sont issus d'un ancêtre (le « chaînon manquant ») qui vivait il y a neuf millions d'années, époque relativement récente à l'échelle de l'évolution. Pourtant, les 3 descendants modernes de ce chaînon manquant présentent aujourd'hui les trois modes de signalement de l'ovulation : l'ovulation cachée pour les humains, l'ovulation faiblement signalée pour les gorilles, et l'affichage flagrant chez les chimpanzés. Ainsi, seul un de ces descendants a pu garder le même mode de signalement que le chaînon manquant, l'évolution ayant conduit les deux autres à en changer.

En fait, la plupart des espèces de primates existantes signalent faiblement leur ovulation. Ainsi, le chaînon manquant a pu préserver ce caractère, le léguant ensuite aux gorilles (voir la figure 4.1). Mais au cours des neuf derniers millions d'années, les humains ont progressivement fait disparaître tout signe de leur ovulation, pendant que les chimpanzés affichaient de plus en plus ouvertement la leur. Notre mode de signalement et celui des chimpanzés ont donc bifurqué dans deux directions opposées de la ligne de nos ancêtres aux signaux modérés. Pour nous les humains, les derrières enflés qui signalent l'ovulation des chimpanzés ressemblent beaucoup à ceux des babouins. Cependant, les boursouflures voyantes des chimpanzés et des babouins ont dû apparaître indépendamment, car les ancêtres des babouins et ceux du chaînon manquant se sont séparés il y a environ 30 millions d'années.

Par le même raisonnement, on peut repérer d'autres embranchements de l'arbre généalogique qui correspondent à des transitions d'un mode de signalement à un autre. On en a trouvé au moins 20. L'affichage de l'ovulation est apparu indépendamment au moins 3 fois (dont une chez les chimpanzés), la dissimulation au moins 8 fois (chez nous, chez les orangs-outans, et chez

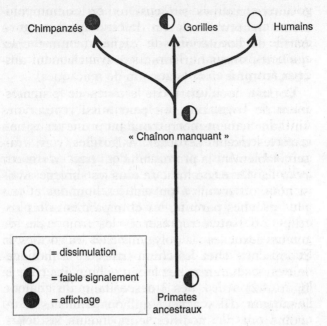

Figure 4.1

Arbre généalogique du signalement de l'ovulation

6 autres groupes simiens), et on compte plusieurs *ré*apparitions du faible signalement à partir de l'ovulation soit cachée (comme chez quelques singes hurleurs), soit franchement affichée (comme chez beaucoup de macaques).

Comme nous venons de le voir pour le signalement de l'ovulation, on peut aussi repérer des embranchements correspondant à une transition dans les mœurs sexuelles. À l'origine, c'est vraisemblablement la promiscuité qui était en vigueur pour l'ancêtre commun de tous les simiens. Mais si nous observons à présent les humains et nos plus proches parents, les chimpanzés et les gorilles, on trouve représentés les trois types de mœurs sexuelles : la polygynie chez les gorilles, la promiscuité chez les chimpanzés, et la monogamie ou les harems chez les êtres humains (voir la figure 4.2). Ainsi, des 3 descendants du chaînon manquant d'il y a neuf millions d'années, 2 au moins ont dû modifier leurs mœurs sexuelles. D'autres sources indiquent que le chaînon manquant était polygyne, ce qui laisse supposer que les gorilles et certaines sociétés humaines ont tout simplement conservé cette organisation de la reproduction. Mais les chimpanzés ont dû réinventer la promiscuité, alors que beaucoup de sociétés humaines ont inventé la monogamie. À nouveau, nous voyons que l'espèce humaine et les chimpanzés ont évolué dans deux directions contraires, dans leurs mœurs sexuelles comme dans leur mode de signalement de l'ovulation.

Globalement, il apparaît que l'évolution a dé-

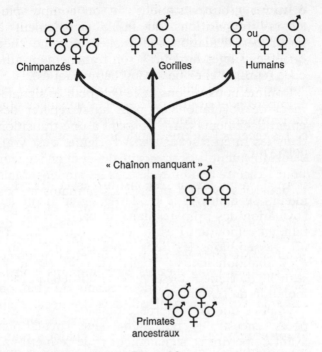

Figure 4.2

Arbre généalogique des mœurs sexuelles

bouché sur la monogamie par au moins 7 che-
mins différents chez les primates supérieurs : chez nous, chez les gibbons, et chez au moins 5 autres groupes de singes.

La polygynie a dû apparaître au moins 8 fois, y compris une fois chez le chaînon manquant. Les chimpanzés et au moins 2 espèces de singes ont dû réinventer la promiscuité après que leurs an-cêtres récents l'eurent abandonnée au profit de la polygynie.

Ainsi, nous avons reconstitué à la fois les mœurs sexuelles et le mode de signalement de l'ovulation des primates dans un passé très loin-tain, en remontant l'arbre généalogique. Pour fi-nir, rassemblons les deux types d'informations et demandons-nous : quelle était la pratique sexuelle de rigueur lorsque s'est imposée la dissi-mulation de l'ovulation ?

Voici ce que l'on apprend. Considérons les es-pèces ancestrales qui signalaient l'ovulation, avant de perdre ce signalement et de se mettre à dissimuler leurs ovulations. Une seule de ces es-pèces ancestrales était monogame. En revanche, huit, peut-être même onze de ces espèces, prati-quaient la promiscuité ou la polygynie, l'une d'entre elles étant l'ancêtre de l'Homme dérivé du chaînon manquant, polygyne. Nous concluons donc que c'est la promiscuité ou la polygynie, et non la monogamie, qui conduit à la dissimula-tion de l'ovulation (voir la figure 4.3). Cette con-clusion est dans la logique de la théorie des pères multiples. Elle n'est pas compatible avec celle du papa à la maison.

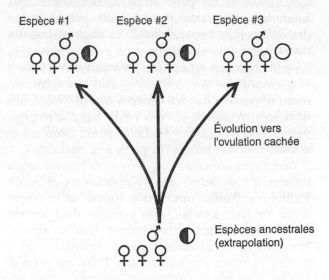

Espèce #1   Espèce #2   Espèce #3

Évolution vers
l'ovulation cachée

Espèces ancestrales
(extrapolation)

Figure 4.3
Trois espèces actuelles observées

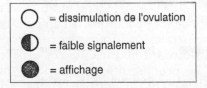

○ = dissimulation de l'ovulation

◗ = faible signalement

● = affichage

*En combinant les données obtenues par l'observation d'espèces
modernes et les déductions portant sur les espèces ancestrales,
on peut déterminer quelles mœurs sexuelles étaient en vigueur
lors des transitions d'un mode de signalement à un autre. Nous
déduisons que l'espèce 3 a développé l'ovulation cachée à partir
d'un ancêtre polygyne qui signalait faiblement son ovulation,
alors que les espèces 1 et 2 ont conservé les mœurs sexuelles
ancestrales (polygynie) et le faible signalement de l'ovulation.*

À l'inverse, on peut aussi se demander quel mode de signalement ovulatoire prévalait lors des différentes apparitions de la monogamie. On découvre que la monogamie ne s'est jamais développée chez une espèce qui affichait ouvertement son ovulation. Au contraire, elle est généralement apparue chez les espèces qui dissimulaient déjà leur ovulation ou qui ne la signalaient qu'à peine (voir la figure 4.4). Cette conclusion est en accord avec la théorie du papa à la maison.

Comment concilier ces deux conclusions apparemment contradictoires ? Rappelons que Sillén-Tullberg et Møller ont trouvé, lors de la troisième étape de leur analyse, que presque tous les primates monogames dissimulent leur ovulation. Nous voyons maintenant que ce résultat a dû se mettre en place en deux temps. Dans un premier temps, l'ovulation cachée est apparue, chez une espèce pratiquant la promiscuité ou la polygynie. Dans un deuxième temps, l'ovulation cachée étant déjà acquise, l'espèce est passée à la monogamie (voir la figure 4.4) :

Mœurs sexuelles	harem	$\longrightarrow$	harem	$\longrightarrow$	monogamie
ovulation	faiblement signalée	$\longrightarrow$	cachée	$\longrightarrow$	cachée
fonction du signalement ovulatoire, ou de son absence	sexualité efficace		embrouiller la paternité, prévenir l'infanticide		garder papa à la maison

Figure 4.4

L'évolution vers l'ovulation discrète

À ce stade, peut-être trouvez-vous que notre histoire sexuelle devient confuse. Nous sommes partis d'une question simple en toute apparence et qui méritait une réponse simple : pourquoi dissimulons-nous notre ovulation et faisons-nous l'amour pour le plaisir n'importe quel jour du mois ? À la place d'une réponse simple, je vous ai dit que la réponse était complexe et impliquait deux étapes.

En résumé, la dissimulation de l'ovulation a rempli plusieurs fonctions différentes, parfois même contraires, au cours de l'évolution des primates. Elle est apparue à une époque où nos ancêtres pratiquaient encore la promiscuité ou la polygynie. À cette époque, la dissimulation de l'ovulation permettait à la guenon/femme ancestrale d'accorder ses faveurs à beaucoup de mâles, dont aucun n'aurait pu jurer qu'il était le père de l'enfant, mais qui savaient tous qu'ils pouvaient l'être. En conséquence, aucun de ces assassins en puissance ne voulait faire de mal au bébé de la guenon/femme, et certains d'entre eux l'ont peut-être même protégé ou ont aidé à l'élever. Ayant mis au point l'ovulation cachée à cette fin, elle s'en servit ensuite pour se choisir un homme des cavernes convenable, l'inciter ou le forcer à rester à la maison avec elle, et pour obtenir qu'il protège et aide les petits, dont il était sûr d'être le père.

À la réflexion, nous ne devrions pas nous étonner de voir l'ovulation cachée affectée successivement à des emplois différents. De telles réaffectations sont habituelles en biologie de l'évolution. En effet, la sélection naturelle ne suit pas consciemment un chemin tout tracé menant à un but préétabli, comme le fait un ingénieur quand il met au point un nouveau produit. Au contraire, un caractère qui remplit une fonction chez un animal se met à en remplir une deuxième, se modifie en conséquence, pouvant même aller jusqu'à perdre sa fonction première. Pour cette raison, il n'est pas rare qu'une même adaptation soit inventée plusieurs fois, et fréquentes sont les pertes, réaffectations, ou même inversions de fonctions, au cours de l'évolution des être vivants.

Prenons un exemple souvent cité, celui des membres des vertébrés. Les nageoires des poissons ancestraux ont donné les pattes des reptiles, des oiseaux et des mammifères, qui s'en servent pour courir ou sauter sur la terre ferme. Les pattes antérieures de certains mammifères et oiseaux reptiliens ancestraux ont ensuite évolué pour former les ailes dont les chauves-souris et les oiseaux se servent pour voler. Les ailes des oiseaux et les pattes des mammifères ont ensuite évolué indépendamment pour devenir respectivement les ailes des pingouins et les nageoires des baleines, effectuant ainsi dans les deux cas un retour à la fonction de nager et réinventant de fait les nageoires des poissons. Au moins trois groupes de descendants de poissons ont indépendamment perdu leurs membres pour devenir des serpents, des lézards sans pattes, et les amphibiens sans pattes qu'on appelle les céciliens. Selon le même principe, certains comportements reproductifs, comme la dissimulation ou l'affichage de l'ovulation, la monogamie, la polygynie et la promiscuité, ont subi plusieurs réaffectations fonctionnelles, se sont transformés l'un en l'autre, ont été réinventés ou perdus.

Les implications de ces transformations évolutives peuvent mettre un peu de piquant dans notre vie amoureuse. Dans le dernier roman du grand écrivain Thomas Mann, *Les Confessions du chevalier d'industrie Félix Krull*, Félix fait un voyage en train en compagnie d'un paléontologue, qui le régale du récit de l'évolution des membres des vertébrés. Félix, joli cœur invétéré et plein d'imagination, est charmé par ce que lui suggère ce récit. « Les os de nos bras et de nos jambes seraient pareils à ceux des animaux terrestres les plus primitifs !... C'est captivant !... Un charmant bras féminin, d'un beau galbe, de ceux qui parfois — si nous avons de la chance — nous enlacent... ce membre n'est autre que l'aile griffue de l'oiseau primordial et la nageoire pectorale du poisson... J'y songerai à l'avenir... Rêver de ce bras si joliment galbé à l'ossature primitive ! »

Maintenant que Sillén-Tullberg et Møller ont démonté le mécanisme de l'évolution de l'ovulation cachée, vous pouvez alimenter vos propres fantasmes de ses implications, tout comme Félix Krull alimenta les siens des implications de l'évolution des membres des vertébrés. Attendez la prochaine fois que vous ferez l'amour pour le plaisir, en période non fertile, en savourant la sécurité d'une relation monogame durable. Méditez alors sur le fait que votre bonheur est paradoxalement rendu possible précisément par les aspects de votre physiologie qui caractérisaient vos ancêtres lointains, quand ils languissaient dans leurs harems, ou quand ils menaient une vie de débauche en toute promiscuité. Ironiquement, ces malheureux ancêtres ne s'accouplaient que les rares jours d'ovulation, quand ils s'acquittaient mécaniquement de leur impératif biologique, la fécondation, privés du plaisir dont vous profitez à loisir par leur besoin urgent de résultats immédiats.

Chapitre V

À QUOI BON LES HOMMES ?

L'évolution de leur rôle familial

L'an dernier, j'ai reçu une lettre remarquable d'un professeur d'une université éloignée qui me conviait à une conférence scientifique. Je ne connaissais pas l'auteur de la lettre, et son nom ne me permettait même pas de savoir s'il s'agissait d'un homme ou d'une femme. Pour me rendre à cette conférence, il me fallait faire un long voyage en avion et passer une semaine loin de chez moi. Cependant, la lettre d'invitation était merveilleusement bien écrite. Si l'organisation de cette conférence était à l'image de la lettre, elle pourrait bien se révéler exceptionnellement intéressante. Encore un peu réticent à l'idée d'engager tout ce temps, j'acceptai.

Ma réticence se dissipa dès mon arrivée, et la conférence se révéla tout aussi intéressante que je l'avais escompté, sans parler des activités annexes préparées à mon attention : shopping, expéditions ornithologiques, banquets, et visites archéologiques guidées. Le professeur responsable de ce chef-d'œuvre d'organisation, le virtuose de la lettre, s'avéra être une femme. En plus de l'exposé brillant qu'elle présenta lors de la conférence et du fait qu'elle était fort sympathique, c'était l'une des femmes les plus remarquablement belles que j'aie jamais vues.

Lors d'une des séances de shopping, j'ai acheté plusieurs cadeaux pour ma femme. L'étudiante qui avait été désignée pour m'accompagner fit de toute évidence le récit de mes emplettes à mon hôtesse, car elle fit une remarque à ce sujet quand je pris place à côté d'elle au banquet de la conférence. À mon grand étonnement, elle déclara : « Mon mari ne m'achète jamais de cadeaux ! » Au début de son mariage, elle lui faisait des cadeaux mais elle avait fini par se lasser car il ne lui rendait jamais la pareille.

La personne en face de moi me questionna alors sur mes travaux en Nouvelle-Guinée, où j'étudiais les oiseaux paradisiers. J'expliquai que les paradisiers mâles ne participent pas du tout à l'élevage des oisillons, mais consacrent plutôt leur temps à essayer de séduire le plus grand nombre possible de femelles. Mon hôtesse m'étonna à nouveau en s'exclamant : « Comme les hommes ! » Elle m'expliqua que son mari valait beaucoup mieux que la majorité des hommes, parce qu'il l'encourageait dans ses aspirations professionnelles. Cependant, il passait la plupart de ses soirées avec ses collègues de bureau, restait devant la télévision quand il était à la maison le week-end, et évitait de participer aux tâches ménagères et aux soins de leurs deux enfants. À plusieurs reprises, elle lui avait demandé de l'aider. En désespoir de cause, elle avait fini par se résoudre à engager une employée de maison. Bien sûr, cette histoire n'a rien d'extraordinaire. Elle reste seulement gravée dans mon esprit parce que cette femme était si belle, si gentille et si pleine de talent qu'on aurait pu s'attendre un peu naïvement à ce que l'homme qui avait choisi de l'épouser continue d'apprécier sa compagnie.

Néanmoins, mon hôtesse est bien mieux lotie que bien des épouses. Quand j'ai commencé à travailler dans les montagnes de Nouvelle-Guinée, je m'indignais souvent des brimades flagrantes infligées aux femmes. Croisant des couples mariés sur les chemins qui mènent à travers la jungle, je remarquai que la femme pliait sous le poids d'un énorme fardeau de fagots de bois, de légumes, et d'un bébé, pendant que son mari trottinait allègrement, le pas léger, chargé seulement de son arc et de ses flèches. Les expéditions de chasse servaient avant tout à tisser des liens de camaraderie virile entre les hommes, qui dévoraient leurs prises sur place. On pouvait acheter, vendre, et abandonner une épouse sans son consentement.

Plus tard, toutefois, quand je devins père à mon tour et commençai à analyser mon propre comportement quand j'emmenais ma famille en promenade, il me sembla mieux comprendre ces hommes de Nouvelle-Guinée qui avançaient le pas léger aux côtés de leur famille. Je constatai que je restais près de mes enfants, veillant scrupuleusement à ce qu'ils ne se fassent pas renverser par une voiture, qu'ils ne tombent pas, qu'ils ne se perdent pas ou subissent quelque autre mésaventure. Les hommes de Nouvelle-Guinée devaient se montrer encore plus attentifs, étant donné le grand nombre de dangers qui menaçaient leurs femmes et leurs enfants. Ces hommes apparemment insouciants, qui se promenaient aux côtés d'une femme lourdement chargée, remplissaient en fait une mission de vigilance et de protection, gardant les mains libres pour pouvoir rapidement déployer leur arc et leurs flèches en cas d'embuscade d'une autre tribu. Mais les parties de chasse des hommes, et la vente des femmes comme épouses, continuent de me troubler.

Demander à quoi servent les hommes ressemble à une boutade. En fait, cette question touche un point sensible dans notre société. Les femmes n'acceptent plus le statut que se sont longtemps octroyé les hommes et critiquent vivement ceux qui se soucient plus de leurs propres besoins que de ceux de leurs femmes et de leurs enfants. Cette question pose aussi un gros problème théorique aux anthropologues. Si l'on retient comme critère les services fournis à la compagne et aux enfants, le mâle de la plupart des espèces n'est bon qu'à injecter du sperme. Ces mâles se séparent de la femelle après l'accouplement, lui laissant tout le travail qui consiste à nourrir, protéger, et élever les jeunes. Mais le mâle humain (en général) se distingue par sa présence prolongée auprès de sa compagne et de ses enfants après l'accouplement. Les anthropologues s'accordent pour dire que les responsabilités masculines liées à cette présence prolongée sont à l'origine de l'essentiel des caractères propres à notre espèce. Ils font le raisonnement suivant.

Il y a différentiation des rôles masculins et féminins dans toutes les sociétés de chasseurs-cueilleurs, catégorie qui recouvrait toutes les sociétés humaines jusqu'à l'avènement de l'agriculture, il y a dix mille ans. Les hommes, invariablement, chassent préférentiellement le gros gibier, alors que les femmes cherchent des plantes alimentaires et du petit gibier, et s'occupent des enfants. Traditionnellement, les anthropologues considèrent cette différentiation omniprésente comme une division du travail qui favorise les intérêts de tous les membres de la famille nucléaire, et représente de ce fait une saine collaboration. Les hommes sont bien plus à même que les femmes de suivre à la piste et de tuer du gros gibier, pour la bonne raison qu'ils ne sont pas obligés de se déplacer partout avec un nourrisson au sein, et qu'ils sont en général plus musclés que les femmes. D'après les anthropologues, les hommes chassent pour fournir de la viande à leur femme et à leurs enfants.

Cette division persiste dans les sociétés industrielles modernes : encore aujourd'hui, beaucoup de femmes consacrent plus de temps que les hommes aux soins des enfants. Bien que la chasse ne soit plus l'activité principale des hommes, ils rapportent toujours de la nourriture à leur épouse et à leurs enfants en occupant des emplois salariés (comme le font aussi la majorité des femmes occidentales). Ainsi, l'expression

« gagner son bifteck » a un sens profond et ancien.

On considère que le rôle de pourvoyeur de viande, qui revient aux chasseurs traditionnels, est une fonction caractéristique des mâles humains, qu'ils ne partagent qu'avec quelques autres mammifères, comme les loups et les chiens de chasse d'Afrique. Il est généralement admis que ce rôle de l'homme est lié à d'autres aspects universels des sociétés humaines, qui nous distinguent des autres mammifères. En particulier, il est lié au fait que l'homme et la femme restent associés au sein de familles nucléaires après l'accouplement, et que les enfants humains, contrairement aux grands singes, restent incapables de se procurer leur propre nourriture plusieurs années après le sevrage.

Si cette théorie est juste, ce qui est rarement mis en doute, elle permet alors de faire les deux prévisions suivantes : d'abord, si l'intérêt principal de la chasse est d'apporter de la viande à la famille du chasseur, les hommes devraient adopter la stratégie de chasse qui garantit le meilleur rendement. Ainsi, nous devrions constater que les hommes ramènent journellement plus de viande en chassant du gros gibier qu'ils n'en ramèneraient s'ils prenaient pour cible le petit gibier. En deuxième lieu, on s'attendrait à observer qu'un chasseur ramène le fruit de la chasse à sa femme et à ses enfants, ou tout du moins qu'il le partage préférentiellement avec eux, plutôt qu'avec des personnes extérieures. Ces deux prévisions se vérifient-elles ?

Curieusement, bien qu'elles constituent la pierre angulaire de l'anthropologie, ces prévisions ont été très peu mises à l'épreuve. Moins surprenant est le fait que ce soit une femme anthropologue, Kristen Hawkes de l'Université d'Utah, qui, la première, les ait mises en doute. Hawkes a fait porter ses tests essentiellement sur des mesures de rendement de la chasse et de la cueillette chez les Indiens Aché du nord du Paraguay, effectuées conjointement avec Kim Hill, A. Magdalena Hurtado, et H. Kaplan. Hawkes a réalisé d'autres tests sur le peuple Hadza de Tanzanie en collaboration avec Nicholas Blurton Jones et James O'Connell. Voyons d'abord le cas des Aché.

Les Aché du Nord étaient par le passé des chasseurs-cueilleurs à temps complet. Ils continuèrent d'investir beaucoup de temps dans la recherche de nourriture en forêt, même après la formation de colonies agricoles de missionnaires dans les années 1970. Conformément à la règle générale, les hommes Aché se spécialisent dans la chasse au gros gibier, comme les pécaris et les cerfs. Ils recueillent aussi le miel en grande quantité. Les femmes pilent les feuilles de palmier pour en extraire l'amidon, récoltent des fruits et des larves d'insectes, et s'occupent des enfants. Le revenu de la chasse d'un homme Aché varie fortement d'un jour à l'autre : il rapporte assez pour nourrir beaucoup de gens s'il tue un pécari ou s'il trouve une ruche, mais rentre bredouille de la chasse en moyenne un jour de chasse sur quatre. Au contraire, le rendement qu'obtiennent les femmes est garanti et varie peu d'un jour à l'autre, du fait de l'abondance des palmiers : la quantité d'amidon obtenue est principalement fonction du temps passé à piler. Une femme peut toujours compter en obtenir assez pour elle et ses enfants, mais elle ne pourra jamais trouver une mine suffisante pour nourrir beaucoup d'autres personnes.

Le premier résultat surprenant des travaux de Hawkes et de ses collègues portait sur les différences de rendement entre le travail des hommes et celui des femmes. Les rendements maximaux des hommes étaient bien sûr considérablement plus élevés que ceux des femmes, puisqu'un homme mettait dans son sac 40 000 calories les jours où il avait la chance de tuer un pécari. Cependant, le revenu moyen à la journée d'un homme, de 9 634 calories, s'avéra inférieur à la moyenne de 10 356 calories pour une femme, et le revenu médian d'un homme (4 663 calories par jour) était nettement inférieur à celui d'une femme. Ce résultat paradoxal s'explique par le fait que les jours de gloire où un homme abattait un pécari étaient considérablement moins nombreux que les jours humiliants où il rentrait bredouille.

Ainsi, les hommes Aché gagneraient, à la longue, à se contenter du « travail de femme » peu glorieux, qui consiste à piler les feuilles de palmiers, plutôt que de s'adonner aux sensations fortes de la chasse. Comme les hommes sont plus forts que les femmes, ils pourraient, s'ils le voulaient, extraire encore plus de calories d'amidon de palmier que les femmes actuellement. Dans leur quête de gains élevés, mais peu sûrs, les hommes Aché ressemblent à des joueurs qui visent le gros lot : à long terme, ces joueurs feraient mieux de placer leur argent à la banque et d'en toucher les intérêts, tout prévisibles et monotones qu'ils soient.

Autre fait surprenant, les chasseurs Aché chanceux ne destinent pas la viande qu'ils ramènent principalement à leurs femmes et à leurs enfants, mais ils en distribuent généreusement à tout le monde. C'est aussi vrai pour le miel. Le partage fait tellement partie des mœurs que les trois quarts de la nourriture consommée par un ou une Aché ont été acquis par quelqu'un d'extérieur à sa famille nucléaire.

Il est facile de comprendre pourquoi les femmes Aché ne sont pas des chasseurs de gros gibier : elles ne peuvent pas laisser longtemps leurs enfants seuls, ni prendre le risque de manquer, ne serait-ce qu'un jour, de nourriture, ce qui compromettrait la lactation et la grossesse. Mais pourquoi l'homme se désintéresse-t-il de la valeur sûre que constitue l'amidon des palmiers, pourquoi se satisfait-il des rendements inférieurs de la chasse, et pourquoi, enfin, ne rapporte-t-il pas sa prise à sa femme et à ses enfants comme le prévoit la vision traditionnelle des anthropologues ?

Ce paradoxe donne à penser que c'est un facteur autre que les meilleurs intérêts de sa femme et de ses enfants qui pousse l'homme Aché à préférer la chasse au gros gibier. Pendant que Kristen Hawkes me décrivait ces paradoxes, mon inquiétude grandissait, et je me demandais si la véritable explication n'allait pas s'avérer beaucoup moins noble que la mystique du mâle qui rapporte le bifteck. J'ai commencé à vouloir prendre la défense de mon sexe en cherchant des explications qui pourraient rétablir ma foi dans la grandeur de la stratégie masculine.

Ma première objection fut que Kristen Hawkes avait calculé les rendements de la chasse en calories. En fait, tout lecteur possédant quelques notions de nutrition sait que les calories ne sont pas toutes égales. Peut-être la chasse au gros gibier est-elle nécessaire pour satisfaire les besoins en protéines, qui ont une plus grande valeur nutritive que les humbles hydrocarbures de l'amidon des palmiers. Cependant, les hommes Aché visent non seulement la viande, riche en protéines, mais aussi le miel, dont les hydrocarbures sont tout aussi humbles que ceux de l'amidon des palmiers. Pendant que les San du Kalahari (les « Bushmen ») chassent le gros gibier, les femmes cueillent et préparent des noix mongongo, une excellente source de protéines. Pendant que les chasseurs-cueilleurs mâles des plaines de Nouvelle-Guinée perdent leurs journées dans la recherche généralement vaine de kangourous, leurs femmes et enfants s'emploient à acquérir une quantité garantie de protéines sous la forme de poissons, de rats, d'asticots, et d'araignées. Pourquoi les San et les hommes de

Nouvelle-Guinée ne prennent-ils pas exemple sur leurs femmes ?

Ensuite, j'ai commencé à me demander si les chasseurs Aché n'étaient pas particulièrement maladroits, une aberration parmi les chasseurs-cueilleurs modernes. Sans aucun doute, le savoir-faire des chasseurs Inuits (Eskimaux) et des chasseurs indiens de l'Arctique est indispensable, surtout l'hiver, quand il n'y a pas grand-chose à trouver en dehors du gros gibier. Les hommes Hadza de Tanzanie, contrairement aux Aché, obtiennent de meilleurs rendements en chassant le gros gibier plutôt que le petit. Mais les hommes de Nouvelle-Guinée, comme les Aché, continuent de chasser malgré la faiblesse du gain. Et les chasseurs Hadza persistent malgré la faible probabilité de faire une prise, puisqu'en moyenne ils rentrent bredouilles 28 jours sur 29 passés à chasser. Une famille Hadza aurait le temps de mourir de faim si elle devait attendre que le père gagne son pari de tuer une girafe. De toute façon, toute cette viande obtenue à l'occasion par un chasseur Hadza ou Aché ne revient pas seulement à sa famille, donc la question de savoir si la chasse au gros gibier fournit des gains supérieurs ou inférieurs à ceux obtenus par d'autres stratégies est purement académique en ce qui concerne sa famille. La chasse au gros gibier n'est tout simplement pas le meilleur moyen de nourrir une famille.

Cherchant toujours à défendre mon sexe, je me suis ensuite demandé si le but de partager généreusement la viande et le miel n'était pas celui de répartir uniformément le revenu de la chasse par altruisme réciproque. C'est-à-dire que j'espère tuer une girafe une fois tous les 29 jours, et mes amis chasseurs de même, mais comme nous partons tous dans des directions différentes, chacun d'entre nous peut tuer sa girafe un jour différent. Si le chasseur chanceux accepte de partager la viande avec les autres chasseurs et leurs familles, tous auront alors souvent l'estomac rempli. Selon cette interprétation, on s'attendrait à ce que les chasseurs partagent de préférence avec les plus habiles de leurs compagnons de chasse, qui seront plus à même de rendre la politesse le jour venu.

En réalité, cependant, les chasseurs Aché et Hadza qui réussissent à abattre du gibier partagent leur prise avec tous les autres chasseurs, qu'ils soient bons ou nuls. On peut donc se demander pourquoi un Aché ou un Hadza se donne la peine de chasser tout court, puisqu'il peut réclamer sa part de viande même s'il n'abat jamais rien lui-même ? À l'inverse, pourquoi chasser s'il faut tout partager avec tout le monde ? Pourquoi ne se contente-t-il pas de récolter des noix et des rats qu'il pourra rapporter à sa famille sans avoir à partager avec qui que ce soit ? Il doit y avoir un motif infâme dans la chasse qui m'a échappé dans mes efforts pour trouver un mobile noble.

Un autre motif louable possible, me dis-je, serait que le partage général de la viande aide toute la tribu, les sorts des membres d'une même tribu étant liés. À quoi serviront tous vos efforts pour nourrir votre propre famille si le reste de la tribu

meurt de faim et se montre ainsi incapable de repousser l'assaut d'une tribu ennemie ? Cette considération, cependant, nous ramène au paradoxe
d'origine : la meilleure manière de nourrir toute
la tribu serait que tout le monde s'abaisse à piler
ce bon vieil amidon de palmier, valeur sûre, et à
récolter des fruits et des larves d'insectes. Les
hommes ne devraient pas perdre leur temps à
parier sur l'occasionnel pécari.

Dans un dernier effort pour déceler des valeurs
familiales dans les parties de chasse masculines,
je pensai aux liens possibles entre l'activité de
chasse et la fonction protectrice des hommes.
Les mâles de nombreuses espèces à territoire,
comme les oiseaux chanteurs, les lions, et les
chimpanzés, passent beaucoup de temps en pa-
trouille. Ces patrouilles ont plusieurs fonctions :
elles servent à détecter et expulser les intrus
venus de territoires adjacents ; à l'inverse, elles
permettent une reconnaissance de ces territoires
adjacents en vue d'une éventuelle intrusion ; elles
servent à repérer la présence de prédateurs susceptibles de s'attaquer à la compagne et aux petits du mâle ; enfin, elles servent à suivre les
variations saisonnières des ressources alimentaires et autres. De même, pendant que les chasseurs humains cherchent du gibier, ils guettent
eux aussi les éventuels dangers qui menacent le
reste de la tribu, ainsi que les éventuelles occasions. De plus, à la chasse, les hommes peuvent
roder les techniques guerrières qui leur serviront
contre les ennemis de leur tribu.

Ce rôle de la chasse est sans nul doute important. Néanmoins, il faut se demander quels sont précisément ces dangers que les chasseurs cherchent à prévenir, et au profit de qui. Bien que les lions et autres grands carnivores représentent effectivement un danger pour les habitants de certaines parties du monde, le danger de loin le plus redoutable pour les sociétés traditionnelles de chasseurs-cueilleurs partout dans le monde est toujours venu des chasseurs de tribus rivales. Les hommes de ces sociétés participaient à des guerres intermittentes, dont le but avéré était de tuer les hommes d'autres tribus. Les femmes et les enfants capturés étaient tués ou épargnés pour servir respectivement d'épouses et d'esclaves. Au pire, on peut considérer que ces patrouilles de chasseurs cherchaient à favoriser la propagation de leurs gènes aux dépens d'autres groupes de mâles. Au mieux, on peut considérer que ces chasseurs protégeaient leurs femmes et leurs enfants, mais surtout de la violence d'autres hommes. Même dans ce dernier cas, les bienfaits de ces patrouilles masculines seraient presque entièrement neutralisés par leurs méfaits.

Ainsi, mes cinq tentatives pour reconnaître dans la chasse au gros gibier une façon raisonnable et noble pour les hommes Aché de contribuer aux meilleurs intérêts de leurs femmes et de leurs enfants s'écroulèrent. Kristen Hawkes me rappela alors quelques pénibles vérités sur le fait qu'un homme Aché, par opposition à sa femme et à ses enfants, tire de gros bénéfices de sa chasse, en plus de la nourriture qu'il met dans son ventre.

Remarquons d'abord que chez les Aché, comme chez d'autres peuples, les rapports sexuels extra-conjugaux ne sont pas rares. Des douzaines de femmes Aché, à qui on a demandé de citer les pères potentiels (leurs partenaires sexuels autour de la date présumée de la conception) de 66 de leurs enfants, ont nommé en moyenne 2,1 hommes par enfant. Dans un échantillon de 28 hommes Aché, les femmes désignèrent plus souvent les bons que les mauvais chasseurs, et leur attribuèrent également la paternité possible d'un plus grand nombre de leurs enfants.

Afin de comprendre le sens biologique de l'adultère, rappelons que les données biologiques discutées au chapitre II introduisent une asymétrie fondamentale entre les intérêts respectifs des hommes et des femmes. Une femme n'augmente pas sa fécondité en multipliant ses partenaires sexuels. Une fois fécondée par un homme, elle ne peut pas être enceinte des œuvres d'un autre avant au moins 9 mois, et même probablement avant plusieurs années dans les conditions d'aménorrhée prolongée des sociétés de chasseurs-cueilleurs. En revanche, quelques minutes d'adultère suffisent à un homme, fidèle par ailleurs, pour doubler sa progéniture.

Comparons à présent les descendances respectives des adeptes des deux stratégies de chasse que Hawkes appelle la stratégie du « bon père de famille » et la stratégie du « fanfaron ». Le premier recherche de la nourriture à rendement modeste mais sûr, comme l'amidon des feuilles de palmier et les rats. Le fanfaron chasse le gros gibier. Comme il n'est qu'occasionnellement chanceux et rentre le plus souvent bredouille, son rendement moyen est inférieur. Le bon père ramène en moyenne plus de nourriture à sa femme et à ses enfants, bien qu'il n'y ait jamais assez d'excédent pour nourrir qui que ce soit d'autre. Le fanfaron ramène en moyenne moins à sa femme et à ses enfants, mais à l'occasion, il a, il est vrai, beaucoup de viande à distribuer aux autres.

Évidemment, si une femme estime son avantage génétique au nombre d'enfants qu'elle peut compter amener à l'âge adulte, ce nombre étant fonction de la quantité de nourriture qu'elle peut leur apporter, elle a tout intérêt à épouser un bon père. Mais il est également dans son intérêt d'avoir des fanfarons pour voisins, auxquels elle pourra à l'occasion proposer des rapports adultères en échange de rations de viande supplémentaires pour elle et ses enfants. En fait, toute la tribu apprécie le fanfaron à cause de la bonne affaire qu'il partage à l'occasion avec tout le monde.

En ce qui concerne les intérêts génétiques de l'homme, la stratégie du fanfaron comporte à la fois des avantages et des inconvénients. Un premier avantage est le nombre d'enfants en plus qu'il engendre par adultère. Le fanfaron gagne aussi des avantages autres que ceux de l'adultère, comme le respect de sa tribu. Ses dons de viande en font un voisin désirable, et il peut se voir proposer des épouses en remerciement. Pour la même raison, la tribu aura probablement tous les égards pour ses enfants. Parmi les inconvénients, il y a le fait que le fanfaron ramène en moyenne moins de nourriture à sa femme et à ses enfants ; cela veut dire que ses enfants légitimes seront vraisemblablement moins nombreux à atteindre l'âge adulte. Sa femme peut aussi le tromper pendant qu'il chasse, ce qui fait qu'un plus faible pourcentage des enfants de sa femme sont de lui. Est-il dans l'intérêt du fanfaron de se priver de la certitude qu'a le bon père d'avoir engendré quelques enfants, pour bénéficier de la seule possibilité d'en engendrer beaucoup d'autres ?

La réponse dépend de plusieurs facteurs, comme le nombre d'enfants légitimes supplémentaires qu'est capable d'élever la femme d'un bon père et la proportion des enfants de la femme du bon père qui sont illégitimes ; il faudrait aussi déterminer dans quelle mesure le statut privilégié des enfants du fanfaron augmente leurs chances de survie. Ces valeurs doivent varier d'une tribu à l'autre, selon le milieu environnant. Quand Hawkes les a estimées pour les Aché, en tenant compte d'un large éventail de conditions probables, elle a conclu que le fanfaron peut compter transmettre ses gènes à plus d'enfants qui arriveront à l'âge adulte que le bon père. Serait-ce cette considération, plutôt que le souci de nourrir une famille, explication traditionnellement retenue, qui sous-tend la chasse au gros gibier ? Les hommes Aché veilleraient ainsi à leurs propres intérêts plutôt qu'à ceux de leurs familles.

Ainsi, il n'est pas exact que la chasse des hommes et la cueillette des femmes représente la division du travail la mieux adaptée aux intérêts de la famille nucléaire, celle qui permet d'utiliser au mieux les capacités de chacun pour le bien du plus grand nombre. Au contraire, le mode de vie des sociétés de chasse et de cueillette représente un cas d'école de conflits d'intérêts. Comme je l'ai dit au chapitre II, ce qui est dans l'intérêt génétique de l'homme n'est pas forcément dans celui de la femme, et vice versa. Les époux ont des intérêts communs, mais également des intérêts divergents. Une femme a tout intérêt à épouser un bon père, mais un homme n'a pas tout intérêt à être un bon père.

Des études réalisées au cours de ces dernières décennies ont mis en évidence de nombreux conflits de ce genre chez les animaux et les humains ; pas seulement des conflits entre mari et femme (ou entre partenaires sexuels chez les animaux), mais aussi entre parents et enfants, entre une femme enceinte et son fœtus, et entre frères et sœurs. Parents et enfants ont des gènes en commun, comme c'est le cas des frères et sœurs. Cependant, frères et sœurs sont potentiellement les pires rivaux, et une rivalité peut également opposer parents et enfants. Beaucoup d'études d'animaux ont montré que le fait d'élever des enfants diminue l'espérance de vie des parents à cause de la dépense d'énergie et des risques que cela comporte. Pour un parent, un enfant représente une occasion de perpétuer ses gènes, mais d'autres occasions peuvent se présenter. Les intérêts du parent seraient peut-être mieux servis par l'abandon d'un jeune au profit d'autres, tandis que l'intérêt du jeune pourrait consister à survivre aux dépens de ses parents. Dans le règne animal comme dans celui des humains, il n'est pas rare que de tels conflits mènent à l'infanticide, au parricide (le meurtre d'un parent par un enfant), ou au fratricide (le meurtre d'un frère ou d'une sœur par un autre). Pendant que les biologistes expliquent ces conflits par des calculs théoriques fondés sur la génétique et l'écologie des ressources du milieu, il nous suffit de nous rapporter à notre propre expérience, sans faire de calculs, pour savoir ce dont il s'agit. Les conflits d'intérêt entre personnes liées par le sang ou par le mariage représentent les tragédies les plus courantes, et les plus déchirantes de notre vie.

Quelle est la validité générale de ces conclusions ? Hawkes et ses collègues n'ont étudié que deux peuples de chasseurs-cueilleurs, les Aché et les Hadza. Les conclusions qui en résultent attendent confirmation auprès d'autres chasseurs-cueilleurs. Les réponses varieront vraisemblablement d'une tribu à l'autre, et même d'un individu à l'autre. D'après ma propre expérience en Nouvelle-Guinée, je pense que les conclusions de Hawkes ont de bonnes chances de s'y appliquer encore mieux. Le gros gibier étant rare en Nouvelle-Guinée, le rendement de la chasse est faible, et les chasseurs rentrent souvent bredouilles.

Les chasseurs consomment sur place une bonne partie des prises, et partagent le reste avec toute la tribu. La chasse en Nouvelle-Guinée est difficile à défendre d'un point de vue économique, mais rapporte aux chasseurs chanceux des bénéfices évidents sur le plan du prestige.

Mais dans quelle mesure les conclusions de Hawkes s'appliquent-elles à nos sociétés occidentales ? Peut-être êtes-vous déjà blêmes parce que vous avez prévu que je poserai cette question et que vous vous attendez à ce que je conclue que les hommes des sociétés industrialisées ne sont pas bons à grand-chose. Bien entendu, je ne conclus rien de tel. Je reconnais que beaucoup d'hommes occidentaux (une majorité ? une grande majorité ?) sont des maris dévoués, qu'ils travaillent dur pour augmenter leur revenu, qu'ils consacrent ce revenu à leur femme et à leurs enfants, qu'ils s'occupent de ces enfants, et qu'ils se montrent fidèles.

Mais, hélas, les conclusions relatives aux Aché s'appliquent au moins à quelques hommes de nos sociétés. Certains abandonnent bien femme et enfants. La proportion d'hommes divorcés qui se soustraient à leurs obligations alimentaires est scandaleusement élevée, au point que le gouvernement américain est en train de prendre des mesures pour y remédier. Aux États-Unis, il y a plus de parents seuls que de parents qui élèvent leurs enfants à deux, et la majorité des parents seuls sont des femmes.

Parmi les hommes qui restent mariés, nous en connaissons tous qui prennent mieux soin d'eux-mêmes que de leurs femmes et de leurs enfants, et qui dissipent une quantité démesurée de temps, d'argent, et d'énergie en aventures extra-conjugales et en signes extérieurs de richesse et de virilité : voitures, sport, consommation d'alcool. Une bonne partie du bifteck n'arrive jamais à la maison. Je ne prétends pas avoir déterminé quelle proportion d'Américains rentre dans la catégorie plutôt « fanfaron » que « bon père », mais le pourcentage de fanfarons semble ne pas être négligeable.

Même chez les couples dévoués et travailleurs, on constate que les Américaines qui travaillent consacrent en moyenne deux fois plus de temps à leurs activités (définies comme emploi plus enfants plus ménage) que leurs maris, et pourtant les femmes sont en moyenne moins bien payées pour le même travail. Quand on demande aux maris américains d'estimer le nombre d'heures consacrées par eux-mêmes et leurs épouses aux enfants et au ménage, on constate que les hommes ont tendance à surestimer leurs propres heures et à sous-estimer celles de leurs femmes. J'ai l'impression que la contribution masculine à l'entretien du foyer et aux soins des enfants est encore plus faible dans quelques autres pays industrialisés comme l'Australie, le Japon, la Corée, l'Allemagne, la Pologne et la France, pour ne citer que quelques pays que je connais. C'est pourquoi, dans nos sociétés, y compris entre anthropologues, on continue de se poser la question de l'utilité des hommes.

Chapitre VI

EN FAIRE MOINS
POUR EN FAIRE PLUS

L'évolution de la ménopause féminine

La plupart des animaux demeurent fertiles jusqu'à leur mort, ou presque. C'est aussi le cas des mâles humains : bien que certains voient baisser ou même s'éteindre leur fertilité à différents âges pour différentes raisons, les hommes ne subissent pas d'interruption universelle de la fertilité à un âge préétabli. On peut citer plusieurs cas authentifiés de paternité chez des hommes âgés, dont un vieillard de quatre-vingt-quatorze ans.

En revanche, la fertilité féminine décline rapidement à partir de quarante ans, et disparaît en une dizaine d'années. Bien que quelques femmes continuent d'avoir des cycles menstruels réguliers jusqu'à cinquante-quatre ou cinquante-cinq ans, on comptait peu de conceptions au-delà de cinquante ans avant le développement de technologies médicales à base de traitements hormonaux et d'insémination artificielle. Citons les Hutterites d'Amérique, une communauté très religieuse, bien alimentée et opposée à la contraception, dont les femmes enfantent aussi fréquemment que le permet leur organisme, avec un intervalle moyen de deux ans entre les naissances, pour une moyenne de 11 enfants par femme. Même ces femmes Hutterites arrêtent d'enfanter à l'âge de quarante-neuf ans.

Pour le profane, la ménopause est une fatalité, certes pénible, et une source d'appréhension. Mais pour le biologiste évolutionniste, la ménopause humaine apparaît comme une aberration dans le règne animal et un paradoxe intellectuel. Le principe de base de la sélection naturelle, c'est qu'elle favorise les gènes dont l'action se traduit par une augmentation du nombre de descendants qui les portent. Comment la sélection naturelle a-t-elle bien pu aboutir à ce que toutes les femelles d'une espèce portent des gènes qui limitent leur descendance ? On sait que tous les caractères biologiques sont sujets à une variation génétique, y compris l'âge de la ménopause. La ménopause ayant été inscrite dans le génome humain pour une raison ou une autre, pourquoi son déclenchement ne s'est-il pas fait de plus en plus tardif au point de disparaître, étant donné que les femmes à ménopause tardive laissaient plus d'enfants que les autres ?

Pour les biologistes évolutionnistes, la ménopause compte donc parmi les aspects les plus étranges de la sexualité humaine. Mais, comme je tâcherai de le démontrer, elle lui est essentielle. Avec nos gros cerveaux et notre bipédie (qui tiennent la vedette dans tous les manuels de biologie de l'évolution), et notre recherche du plaisir sexuel (dont parlent moins ces mêmes manuels), je pense que la ménopause féminine a largement contribué à faire de nous les humains que nous sommes, supérieurs aux grands singes, et qualitativement différents d'eux.

Bien des biologistes se refuseraient à admettre ce que je viens de dire. Ils rétorqueraient que la ménopause humaine ne pose pas de problème particulier, et qu'il n'y a pas de raison de se perdre en conjectures à ce sujet. Leurs objections sont de trois sortes.

D'abord, certains biologistes considèrent la ménopause comme un simple artéfact du récent allongement de l'espérance de vie. Cet allongement ne s'explique pas seulement par les efforts du siècle qui s'achève dans le domaine de la santé publique, mais remonte peut-être à l'avènement de l'agriculture il y a dix mille ans, et tient encore plus vraisemblablement aux adaptations successives qui ont permis à l'homme de maîtriser de mieux en mieux son environnement au cours des quarante mille dernières années. D'après ces biologistes, la ménopause se manifestait rarement au cours des millions d'années de l'évolution humaine, parce que la plupart des hommes et des femmes ne vivaient pas au-delà de quarante ans. Le système reproducteur féminin était programmé pour s'arrêter à quarante ans, parce qu'il n'aurait pas eu de toute façon l'occasion de fonctionner au-delà. L'allongement de la durée de vie est intervenu beaucoup trop récemment dans notre évolution pour que le système reproducteur féminin ait eu le temps de s'adapter. Tel est l'essentiel de cet argument.

Toutefois, ce raisonnement ne tient pas compte du fait que l'appareil reproducteur masculin, ainsi que toutes les autres fonctions biologiques des hommes comme des femmes, sont toujours fonctionnels chez la plupart des gens plusieurs décennies après quarante ans. Il faudrait alors supposer que toutes les autres fonctions biologiques aient pu s'adapter rapidement à l'allongement de la durée de la vie, ce qui n'explique pas pourquoi seule la reproduction féminine n'aurait pas suivi. En outre, l'affirmation selon laquelle peu de femmes par le passé vivaient jusqu'à la ménopause repose sur la paléodémographie, c'est-à-dire sur des estimations d'âge au moment du décès à partir de squelettes préhistoriques. Ces estimations reposent sur des prémisses non prouvées et peu plausibles, comme celle selon laquelle les squelettes retrouvés constitueraient un échantillon représentatif de toute une population préhistorique, ou celle selon laquelle il est réellement possible de déterminer l'âge d'un squelette d'adulte préhistorique. Bien que l'aptitude des paléontodémographes à distinguer le squelette d'un enfant de dix ans de celui d'un adulte de vingt-cinq ne soit pas mise en doute, il n'a jamais été prouvé qu'ils soient capables, comme ils le prétendent, de distinguer le squelette d'un individu préhistorique de quarante ans de celui d'un individu de cinquante-cinq. Il n'y a pas de comparaison possible avec les squelettes d'individus contemporains : l'Homme moderne est si différent de par son mode de vie, son alimentation et ses maladies qu'il paraît inévitable que ses os ne vieillissent pas au même rythme que celui des hommes préhistoriques.

Tout en admettant que la ménopause est peut-être un phénomène ancien, une deuxième objection consiste à nier qu'elle soit propre à l'espèce humaine. On constate chez beaucoup ou même la plupart des animaux une diminution de la fertilité avec l'âge. On recense des individus âgés stériles chez des espèces très diverses de mammifères et d'oiseaux à l'état sauvage. Chez les rhésus et certaines races de souris de laboratoire, beaucoup de femelles âgées, à l'abri dans des cages de laboratoire ou des zoos qui permettent de prolonger leur espérance de vie au-delà de ce qu'elle serait dans la nature, grâce à un régime raffiné, à des soins médicaux de qualité, et à une parfaite protection contre les prédateurs, deviennent effectivement stériles. Ainsi, certains biologistes soutiennent que la ménopause des femmes n'est qu'un exemple parmi d'autres du phénomène généralisé qu'est la ménopause animale. Quelle que soit la raison de ce phénomène, son existence chez beaucoup d'espèces signifierait que la ménopause humaine n'a rien de particulier qui exige une explication.

Cependant, une hirondelle ne fait pas le printemps, et une femelle stérile ne constitue pas la ménopause. C'est-à-dire que le fait de constater l'existence, à l'occasion, d'un individu âgé stérile dans la nature, ou d'une stérilité systématique chez des animaux en cage à durée de vie artifi-

ciellement prolongée, ne permet en aucun cas
d'extrapoler que la ménopause serait un phénomène biologiquement significatif dans la nature.
Pour cela, il faudrait démontrer que la stérilité
touche une proportion non négligeable des femelles adultes d'une population d'animaux à
l'état sauvage, alors qu'elles ont encore une
bonne partie de la vie devant elles.

L'espèce humaine satisfait à ces critères, mais
il n'y a qu'une ou deux espèces à l'état sauvage
qui peuvent le faire. La première est une souris
marsupiale d'Australie chez laquelle ce sont les
mâles, et non les femelles, qui subissent quelque
chose qui ressemble à la ménopause : tous les
mâles de la population deviennent stériles dans
un laps de temps très bref au cours du mois
d'août et meurent dans les semaines qui suivent,
laissant derrière eux une population composée
exclusivement de femelles enceintes. Dans ce cas,
cependant, la phase post-ménopause ne représente qu'une fraction négligeable de la vie d'un
mâle. Les souris marsupiales n'offrent pas réellement un exemple de ménopause ; il est plus juste
de reconnaître en elles un cas de reproduction
« big-bang », alias mono-reproduction, un unique élan reproducteur rapidement suivi de stérilité et de mort, comme chez les saumons et les
agaves d'Amérique. Un meilleur exemple est
fourni par les baleines pilotes, dont le quart de
toutes les femelles adultes tuées par des balei-
niers se sont révélées stériles, d'après l'état de
leurs ovaires. Les baleines pilotes femelles subissent la ménopause vers l'âge de trente ou qua-

rante ans, peuvent vivre en moyenne encore
quatorze ans après, et dépassent parfois l'âge de
soixante ans.

Ainsi, l'espèce humaine n'est pas seule touchée
par la ménopause, puisqu'on la retrouve au
moins chez une espèce de baleine. Il serait intéressant de chercher des indices permettant de
conclure à l'existence de la ménopause chez les
orques et quelques autres espèces possibles. Mais
on rencontre souvent dans la nature de vieilles
femelles encore fertiles dans des populations
bien connues d'autres mammifères à longue vie,
comme les chimpanzés, les gorilles, les babouins
et les éléphants. Ainsi, ces espèces, et sans doute
la plupart des autres, ne sont probablement pas
concernées par une ménopause systématique. On
considère par exemple un éléphant de cinquante-
cinq ans comme âgé, puisque 95 % des éléphants
meurent avant cet âge. Mais à cinquante-cinq
ans, une femelle éléphant est encore à moitié
aussi fertile qu'une jeune femelle dans la fleur de
l'âge.

Ainsi, la ménopause féminine est suffisamment rare dans le règne animal pour que son apparition chez les êtres humains réclame une
explication. Nous ne l'avons certainement pas
héritée des orques, nos ancêtres s'étant éloignés
des leurs il y a plus de cinquante millions d'années. En fait, elle a dû faire son apparition chez
les humains après que nos ancêtres se furent séparés de ceux des chimpanzés et des gorilles, il y
a sept millions d'années, car, contrairement à

nous, ces primates ne connaissent pas la ménopause.

La troisième et dernière objection reconnaît la ménopause humaine comme un phénomène ancien et rare chez les animaux. En revanche, ces critiques affirment qu'il est inutile d'en chercher une explication car on a déjà trouvé la clé de l'énigme. La solution (disent-ils) réside dans son mécanisme physiologique : le stock d'ovules dont dispose une femme est fixé à la naissance une fois pour toutes, et ne peut être réapprovisionné par la suite. Un ou plusieurs de ces ovules sont perdus par ovulation à chaque cycle menstruel, et d'autres meurent tout simplement (c'est ce qu'on appelle l'atrésie). Quand une femme arrive à l'âge de cinquante ans, son stock d'ovules est presque entièrement épuisé. Vieux d'un demi-siècle, les ovules qui restent réagissent de moins en moins bien aux hormones pituitaires de l'hypophyse, et sont trop peu nombreux pour produire la quantité d'œstradiol nécessaire à l'émission des hormones de l'hypophyse.

Sans être fausse, cette objection est incomplète. Admettons que la déplétion et le vieillissement du stock d'ovules sont les causes immédiates de la ménopause humaine, mais pourquoi la sélection naturelle a-t-elle programmé les femmes de telle manière que leur ovules s'épuisent ou ne réagissent plus entre quarante et cinquante ans ? Rien, a priori, ne se serait opposé à ce que l'évolution donne aux femmes deux fois plus d'ovules, ou des ovules encore capables de réagir après un demi-siècle. Les ovules des éléphants, des baleines à fanons, et peut-être des albatros restent viables au moins soixante ans, et ceux des tortues encore plus longtemps ; on peut donc penser que les ovules humains auraient pu évoluer dans le sens d'une plus grande longévité.

Si la troisième objection est incomplète, c'est surtout parce qu'elle confond mécanisme immédiat et cause première. (Un mécanisme immédiat est une cause directe, tandis qu'une cause première est le premier d'un long enchaînement de facteurs conduisant à cette cause immédiate. Par exemple, si la cause immédiate d'un divorce peut être l'infidélité de la femme, la cause première peut tenir à l'indifférence du mari ou à la profonde incompatibilité du couple qui ont poussé la femme à tromper son mari.) Les physiologistes et les biologistes moléculaires tombent régulièrement dans le piège qui consiste à négliger cette distinction fondamentale en biologie, en histoire, et dans le comportement humain. La physiologie et la biologie moléculaire ne peuvent qu'identifier des mécanismes immédiats ; seule la biologie de l'évolution est en mesure de fournir des causes premières. Un exemple simple de mécanisme immédiat : les grenouilles qu'on utilise pour faire les fléchettes empoisonnées sont venimeuses parce qu'elles sécrètent un produit chimique mortel, la batrachotoxine. Mais on peut considérer que le mécanisme biologique responsable de ce poison n'est qu'un détail secondaire, parce que bien d'autres venins auraient tout aussi bien fait l'affaire. La cause première est que ces grenouilles, au cours de leur évolution, se sont mises à fabriquer ce venin car, étant petites et sans autre forme de défense, elles auraient été des proies faciles pour leurs prédateurs sans ce poison pour les protéger.

Nous avons déjà constaté plusieurs fois dans ces pages que les grandes questions qui se posent à propos de la sexualité humaine concernent l'évolution et portent sur des causes premières, et non sur des mécanismes de proximité. Bien sûr, c'est parce que les femmes dissimulent leur ovulation et qu'elles sont constamment réceptives que nous éprouvons du plaisir à faire l'amour, mais pourquoi l'évolution a-t-elle abouti à ces caractères si originaux ? Oui, les hommes sont physiologiquement capables de fabriquer du lait, mais pourquoi l'évolution ne leur a-t-elle pas donné les moyens d'exploiter cette capacité ? De même, il est facile d'expliquer la ménopause par le fait que le stock d'ovules d'une femme s'épuise ou dégénère avant l'âge de cinquante ans. Le problème, c'est de comprendre pourquoi l'évolution humaine a abouti à ce système de reproduction qui semble aller à l'encontre de la logique de l'évolution.

Il ne serait pas très intéressant d'envisager le vieillissement (ou la sénescence, comme l'appellent les biologistes) de l'appareil reproducteur de la femme indépendamment des autres processus de vieillissement. Nos yeux, nos reins, notre cœur, et tous nos organes et tissus sont eux aussi concernés par la sénescence. Mais ce vieillissement de nos organes n'est pas physiologiquement inévitable — ou tout du moins, il n'est pas inévitable qu'il se déroule aussi rapidement que dans l'espèce humaine, car les organes de certaines tortues, palourdes, et autres espèces restent en bon état beaucoup plus longtemps que les nôtres.

Les physiologistes et beaucoup d'autres scientifiques qui travaillent sur le vieillissement ont tendance à chercher une explication unique, recouvrant tous les aspects du phénomène. Des explications proposées au cours des dernières décennies, on retient surtout celles qui font intervenir le système immunitaire, les radicaux libres, les hormones, et la division cellulaire. En réalité, pourtant, tous ceux d'entre nous qui ont dépassé l'âge de quarante ans savent que notre corps tout entier se détériore progressivement, et pas seulement dans son système immunitaire et ses défenses contre les radicaux libres. Bien que j'aie profité d'une vie moins stressante et de soins médicaux de meilleure qualité que la majorité des quelques six milliards de personnes sur terre, je suis tout de même en mesure d'énumérer les effets du vieillissement qui se sont déjà manifestés en moi à l'âge de cinquante-neuf ans : une mauvaise audition dans les aigus, une perte d'acuité de la vision proche, une appréciation diminuée des goûts et des odeurs, la perte d'un rein, l'usure des dents, une perte de souplesse dans les doigts, et ainsi de suite. Je récupère moins vite qu'autrefois après une blessure : j'ai été obligé d'arrêter le footing après plusieurs blessures au mollet, j'ai récemment mis très longtemps à me remettre d'une blessure au coude gauche, et je viens de me froisser le tendon d'un doigt. À l'horizon, si je me fie à l'expérience de mes prédécesseurs, se profile la litanie bien connue des désagréments qui m'attendent : problèmes cardiaques, artères bouchées, dysfonctionnements de la vessie, problèmes d'articulations, élargissement de la prostate, perte de mémoire, cancer du côlon, et ainsi de suite. Ce sont toutes ces détériorations qui constituent ce que nous appelons le vieillissement.

Les causes profondes de cette funeste litanie s'expliquent facilement par analogie avec les objets fabriqués par l'homme. Comme une machine, le corps de l'animal a tendance à se détériorer progressivement ou à s'abîmer sérieusement avec l'âge et l'usage. Nous faisons un effort conscient pour pallier cette tendance par l'entretien et la réparation de nos machines. Notre corps, lui, a été programmé par la sélection naturelle pour assurer inconsciemment son propre entretien et ses propres réparations.

L'entretien des corps, comme celui des machines, obéit à deux principes. En premier lieu, nous réparons une partie de la machine quand elle est sérieusement endommagée. Nous réparons par exemple le pneu crevé d'une voiture ou une aile défoncée, et nous remplaçons freins et pneus quand ils sont irrécupérables. De la même manière, notre corps répare aussi les pièces fortement endommagées. On pense tout de suite à la cicatrisation des plaies, mais il y a aussi la réparation moléculaire de l'ADN et bien d'autres processus réparatoires qui se déroulent en nous, sans que nous en soyons conscients. Tout comme on peut remplacer un pneu crevé, notre corps peut, dans certaines limites, régénérer partiellement des organes endommagés, par exemple en élaborant du tissu neuf pour un rein, le foie, ou l'intestin. Cette capacité de remplacer les pièces défectueuses est encore plus développée chez beaucoup d'autres animaux. Si seulement nous pouvions être comme les étoiles de mer, les crabes, les concombres de mer et les lézards qui peuvent respectivement remplacer un bras, une patte, l'intestin, et la queue !

L'autre manière de maintenir une machine ou un corps en état de marche est d'assurer un entretien régulier ou automatique qui inverse l'usure, qu'il y ait eu des dégâts importants ou non. Nous changeons par exemple, dans le cadre d'un entretien régulier, l'huile, les bougies, la courroie de ventilateur, et les roulements à billes de notre voiture. De même, notre corps fabrique poils et cheveux en continu, remplace la paroi de l'intestin grêle tous les quelques jours, remplace les cellules rouges du sang tous les quelques mois, et remplace une fois chaque dent au cours de la vie. Il en va de même, de manière invisible, pour les protéines, dont les molécules forment notre corps.

La qualité de l'entretien que vous assurez à votre voiture, et la quantité d'argent et de ressources que vous y engagez, influencent sa durée de vie. On peut dire la même chose de notre corps, non seulement en ce qui concerne nos programmes d'exercices, nos visites chez le médecin, et autres efforts d'entretien conscients, mais aussi pour tout ce qui relève des réparations et de l'entretien inconscients que notre corps effectue sur lui-même. La synthèse de peau neuve, de tissu rénal, et de protéines consomme beaucoup d'énergie biosynthétique. Mais les espèces animales varient beaucoup dans l'importance de leur investissement en auto-entretien et donc dans leur taux de vieillissement. Certaines tortues vivent plus d'un siècle. Mais les souris de laboratoire, qui vivent dans des cages bien approvisionnées, à l'abri des accidents et des prédateurs, et bénéficient de soins médicaux supérieurs à ceux de n'importe quelle tortue et de la plupart des humains, dépérissent et meurent immanquablement de vieillesse avant leur troisième anniversaire. Et notre vieillissement diffère même de nos plus proches parents, les grands singes. Des grands singes bien nourris et en sécurité dans leurs cages de zoo, suivis par des vétérinaires, dépassent rarement, ou même jamais, la soixantaine, alors que les Américains blancs, soumis à des risques bien plus grands et moins bien soignés, atteignent aujourd'hui en moyenne soixante-dix-huit ans pour les hommes et quatre-vingt-trois pour les femmes. Pourquoi notre corps se soigne-t-il inconsciemment mieux que celui des grands singes ? Pourquoi les tortues vieillissent-elles tellement plus lentement que les souris ?

Nous pourrions éviter de vieillir tout à fait et (à moins d'un accident) vivre éternellement, si nous misions tout sur les réparations et remplacions fréquemment toutes les parties de notre corps. Nous pourrions ainsi éviter l'arthrite en nous fabriquant des membres tous neufs, comme les crabes, éviter les infarctus en remplaçant périodiquement notre cœur, et réduire l'usure des dents en renouvelant cinq fois notre dentition (comme les éléphants) au lieu d'une seule. Certains animaux investissent ainsi à fond dans des réparations de nature bien précise, mais aucun n'investit complètement dans toutes les réparations, et aucun animal n'échappe au vieillissement.

Si nous revenons à l'image de la voiture, l'explication paraît évidente : la réparation et la maintenance sont coûteuses. La plupart d'entre nous ne disposent que d'un budget limité, que nous sommes obligés de gérer raisonnablement. Nous dépensons pour la réparation de notre voiture tout juste le minimum pour qu'elle continue de rouler dans les limites de la rentabilité. Quand les factures deviennent trop élevées, nous considérons qu'il revient moins cher de laisser mourir la vieille voiture et d'en acheter une neuve. Nos gènes sont confrontés à un choix de même nature : faut-il réparer le vieux corps qui contient ces gènes ou fabriquer à ceux-ci de nouveaux conteneurs, à savoir des bébés ? Les ressources dépensées en réparations, que ce soit pour une voiture ou pour un corps, rongent les ressources disponibles pour l'achat d'une nouvelle voiture ou la conception d'un enfant. Les animaux qui se réparent mal et vivent donc peu de temps, comme les souris, peuvent produire beaucoup plus de bébés et beaucoup plus vite que les animaux chers à l'entretien et à forte longévité comme les humains. Une souris femelle, qui meurt à deux ans, bien avant le début de la fertilité humaine, a produit 5 bébés tous les deux mois depuis l'âge de quelques mois.

C'est la sélection naturelle qui fixe la part d'investissement en réparations et la part de procréation de façon à optimiser la transmission de gènes à une progéniture. L'équilibre entre les réparations et la reproduction varie d'une espèce à l'autre. Certaines espèces lésinent sur les réparations et produisent des bébés très vite, mais meurent jeunes, comme les souris. D'autres, comme les humains, investissent lourdement en réparations, vivent presque un siècle, et peuvent produire pendant ces années tout au plus une douzaine d'enfants (si vous êtes une femme Hutterite) ou plus de mille (si vous êtes l'Empereur Moulay le Sanguinaire). Votre production annuelle d'enfants sera inférieure à celle d'une souris (même si vous êtes Moulay), mais vous aurez plus d'années à votre disposition.

La quantité d'énergie affectée aux réparations, et donc la longévité de l'animal dans les conditions optimales, est en partie déterminée par le risque de mort accidentelle ou liée à des mauvaises conditions de vie. Vous évitez de perdre votre argent à entretenir votre taxi si vous êtes chauffeur de taxi à Téhéran, où même le plus prudent des chauffeurs peut compter sur une aile enfoncée toutes les quelques semaines. Vous préférerez mettre votre argent de côté pour l'achat du taxi tout neuf qui ne tardera pas à s'imposer. De même, les animaux, dont le mode de vie comporte de gros risques de mort accidentelle, sont programmés par l'évolution pour lésiner sur les réparations et vieillir rapidement, même dans la sécurité et l'abondance des cages de laboratoire. Les souris, exposées à de nombreux prédateurs dans la nature, sont programmées par l'évolution pour investir moins en réparations et pour vieillir plus vite que des oiseaux en cage de taille comparable qui, dans la nature, peuvent se servir de leurs ailes pour échapper aux prédateurs. Les tortues, protégées dans la nature par leur carapace, sont programmées pour vieillir plus lentement que d'autres reptiles, tandis que les hérissons, protégés par leurs épines, vieillissent plus lentement que d'autres mammifères de même taille.

Ce principe s'applique aussi à nous et à nos parents les grands singes. Les hommes préhistoriques, qui évoluaient en général au niveau du sol et se défendaient à l'aide de javelots et du feu, risquaient moins de succomber à un prédateur ou à une chute que les grands singes arboricoles. Le programme évolutif, qui en a résulté, subsiste aujourd'hui dans le fait que nous vivons plusieurs décennies de plus que les grands singes des zoos dans des conditions comparables de sécurité, de santé, et de prospérité. C'est sans doute au cours des sept derniers millions d'années de notre évolution que nos mécanismes de réparation se sont améliorés, et que notre taux de sénescence a diminué, car c'est à partir de là que nous avons divergé de nos parents les grands singes, que nous sommes descendus des arbres, et que nous nous sommes armés de javelots, de pierres, et du feu.

Ce type de raisonnement explique très bien l'expérience pénible que nous vivons quand tout en nous commence à se dégrader à mesure que nous vieillissons. Hélas, cette triste réalité tient au souci de rentabilité que l'évolution incorpore à ses produits. Ce serait une perte d'énergie bio-synthétique, qui autrement aurait pu être affectée à la fabrication d'enfants, que de maintenir une partie du corps en si bonne condition qu'elle durerait plus longtemps que toutes les autres et resterait en bon état au décès de l'individu. Un corps construit de façon efficace est un corps dont tous les organes s'usent à peu près au même rythme.

Le même principe s'applique bien sûr aux machines, comme l'illustre cette anecdote concernant ce génie de la rentabilité dans la construction automobile, Henry Ford. Un jour, Ford envoya quelques-uns de ses employés dans des entrepôts de vieilles voitures, avec pour mission d'étudier l'état des pièces restantes dans les Ford T qui avaient été envoyées à la casse. Les employés revinrent avec la nouvelle, à première vue décevante, que toutes les pièces montraient des signes d'usure. Seuls dérogeaient à la règle les chevilles ouvrières, qui étaient comme neuves. À la grande surprise de ses employés, au lieu de se féliciter de la qualité de ses chevilles ouvrières,

Ford déclara que celles-ci étaient trop bien usi-
nées, et que désormais il faudrait veiller à les
faire de moins bonne qualité. Les conclusions de
Ford peuvent aller à l'encontre de notre idéal du
travail bien fait, mais elles étaient tout à fait
dans la logique de la rentabilité économique : il
perdait effectivement de l'argent à faire des chevilles ouvrières plus durables que les voitures
dans lesquelles on les posait.

La conception de notre corps, qui a évolué par
sélection naturelle, obéit au principe de la cheville ouvrière d'Henry Ford, à une exception près.
Presque toutes les parties du corps humain
s'usent à la même vitesse. Le principe de la cheville s'applique même à l'appareil reproducteur
masculin, qui ne subit pas de panne définitive et
généralisée, mais accumule petit à petit divers
problèmes, comme l'hypertrophie de la prostate
et la chute du nombre de spermatozoïdes, à des
degrés qui varient selon l'individu. Le principe de
la cheville ouvrière s'applique aussi aux animaux. Les animaux capturés dans la nature sont
très peu marqués par l'âge, parce qu'un animal
sauvage risque fort d'être tué par un prédateur
ou accidentellement dès qu'il se trouve sérieusement diminué. Chez les animaux des zoos et de
laboratoire, cependant, on assiste avec l'âge à
une détérioration progressive de toutes les parties du corps, comme cela nous arrive.

Chez les animaux, ce triste message s'applique
à l'appareil reproducteur des femelles comme à
celui des mâles. Les rhésus femelles épuisent
leur stock d'ovules en état de fonctionner avant

l'âge de trente ans ; la fécondation des lapines devient de moins en moins fiable avec l'âge ; il y a de plus en plus d'ovules anormaux chez les hamsters, les souris et les lapines vieillissants ; les embryons fécondés sont de moins en moins viables chez les hamsters femelles et les lapines ; de plus, le vieillissement de l'utérus provoque une augmentation de la mortalité des embryons chez le hamster, la souris, et le lapin. Ainsi, l'appareil reproducteur féminin des animaux est une version réduite du corps tout entier dans la mesure où tous les problèmes susceptibles de survenir avec l'âge peuvent effectivement survenir, à des âges qui varient selon l'individu.

L'exception flagrante au principe du pivot central est la ménopause humaine. Chez toutes les femmes, pratiquement au même âge, l'appareil reproducteur s'arrête soudain de fonctionner des dizaines d'années avant la mort escomptée, même celle prévue chez les femmes de nombreuses sociétés de chasseurs-cueilleurs. Ceci se produit pour une raison physiologiquement triviale, l'épuisement de la réserve d'ovules en bon état, obstacle qu'il aurait été facile d'éliminer par une mutation qui aurait légèrement modifié le taux de mortalité ou de dégénérescence des ovules. De toute évidence, la ménopause humaine n'avait rien d'inévitable, ni sur le plan physiologique, ni sur celui de l'évolution, si l'on en juge par les autres mammifères. Mais la femelle humaine, contrairement au mâle, a été spécialement programmée par la sélection naturelle, au cours des quelques derniers millions d'années, pour mettre

prématurément un terme à ses fonctions reproductrices. Cette sénescence prématurée est
d'autant plus surprenante qu'elle va à l'encontre
de la tendance dominante : dans tous les autres
domaines, nous les humains, nous avons, au
cours de notre évolution, repoussé et non avancé,
les phénomènes de sénescence.

Toute théorie cherchant à établir le fondement
de la ménopause dans l'évolution doit expliquer
comment une stratégie consistant à réduire le
nombre des enfants, peut, apparemment en
dépit du bon sens, conduire à un plus grand
nombre d'enfants. Manifestement, lorsqu'une
femme vieillit, la propagation de ses gènes passe
par une assistance à ses enfants existants, à ses
petits-enfants potentiels, et aux autres personnes
de sa famille, plutôt que par une nouvelle naissance.

Ce raisonnement repose sur plusieurs faits
cruels. Il y a d'abord la longue période de dépen-
dance de l'enfant humain, qui dépasse celle de
n'importe quel autre animal. Un bébé chimpanzé
commence à se procurer sa propre nourriture
dès le sevrage, en se servant surtout de ses mains.
(L'utilisation d'outils par les chimpanzés, comme
de brins d'herbe pour attraper les termites et de
pierres pour casser les noix, intéresse beaucoup
les scientifiques, mais ne tient qu'un rôle minime
dans l'alimentation des chimpanzés.) C'est aussi
à l'aide de ses propres mains que le bébé chimpanzé prépare sa nourriture. Mais les chasseurs-
cueilleurs humains, eux, se procurent la plupart

de leurs aliments à l'aide d'outils, comme les bâtons qui servent à creuser la terre, les filets, les javelots, et les paniers. La préparation des mets (épluchage, pilage, dépeçage, etc.) se fait également à l'aide d'outils, et leur cuisson à l'aide d'un feu. Contrairement aux autres animaux qui sont des proies possibles, ce ne sont pas nos dents ou le développement de nos muscles qui nous protègent des prédateurs, mais, une fois encore, nos outils. Un bébé n'a pas la dextérité manuelle nécessaire, ne serait-ce que pour manier ces outils. Quant aux jeunes enfants, ils sont incapables de les fabriquer. Le maniement et la fabrication des outils sont transmis, non seulement par l'exemple, mais aussi par le langage, qu'un enfant met plus de dix ans à maîtriser.

En conséquence, l'enfant humain, dans la plupart des sociétés, ne devient capable de se prendre en charge économiquement ou d'assumer des responsabilités d'adulte qu'à l'adolescence ou vers vingt ans. Jusqu'alors, l'enfant dépend de ses parents, surtout de sa mère, car comme nous l'avons vu dans les chapitres précédents, la mère prodigue en général plus de soins que le père. Les parents sont importants, non seulement dans la mesure où ils procurent la nourriture et enseignent la fabrication des outils, mais aussi par la protection et le statut qu'ils confèrent à leurs enfants au sein de la tribu. Dans les sociétés traditionnelles, la mort précoce de la mère ou du père compromettait la vie d'un enfant, même en cas de remariage du parent restant, en raison des rivalités génétiques possibles avec le beau-père ou la belle-mère. Un jeune orphelin, qui n'était pas adopté, avait encore moins de chances de survivre.

Ainsi, chez les chasseurs-cueilleurs, une mère qui a déjà plusieurs enfants risque de perdre une partie de l'investissement génétique qu'ils représentent si elle meurt avant que le dernier ait atteint au moins l'adolescence. Cette cruelle réalité, à la base de la ménopause, devient encore plus inquiétante à la lumière d'un deuxième fait : la naissance de chaque enfant représente un péril immédiat pour ses frères et sœurs aînés, parce que la mère risque de mourir en couches. Chez la plupart des autres espèces animales, ce risque est insignifiant. On peut citer, par exemple, une étude portant sur 401 rhésus femelles enceintes, dont une seule a succombé à l'enfantement. Pour les humains des sociétés traditionnelles, le risque était bien plus élevé et augmentait avec l'âge. Même dans les riches sociétés occidentales du vingtième siècle, le risque de mourir lors d'un accouchement est sept fois plus élevé après quarante ans qu'à vingt ans. Mais chaque nouvel enfant met la vie de sa mère en péril, non seulement à cause des dangers de l'accouchement, mais également, à plus long terme, à cause des risques d'épuisement liés à l'allaitement, au transport d'un petit enfant, et à l'effort de travail supplémentaire pour nourrir de plus nombreuses bouches.

Autre fait cruel, plus la mère est âgée, moins les nourrissons ont de chances de survivre ou d'être bien portants à cause de l'augmentation avec l'âge des risques de fausses couches, de mort-nés, de prématurés, et de défauts génétiques. Par exemple, le risque qu'un fœtus soit porteur de la malformation génétique, connue sous le nom de trisomie, augmente avec l'âge de la mère : de un pour deux mille naissances pour une mère de moins de trente ans, le taux de trisomie passe à un sur trois cents si la mère a entre trente-cinq et trente-neuf ans, à un sur cinquante pour une mère de quarante-trois ans, et au taux peu rassurant de un sur dix pour une mère de plus de quarante-six ans.

Ainsi, plus une femme vieillit, plus le nombre de ses enfants a de chances d'être élevé, et plus elle a déjà investi de temps à les soigner : sa mise augmente donc à chaque grossesse. Mais la probabilité de mourir pendant ou après avoir enfanté, et la probabilité d'une malformation ou de la mort du fœtus ou de l'enfant augmentent aussi. En fait, la mère âgée risque plus pour un moindre gain potentiel. Cet ensemble de facteurs tendrait à favoriser la ménopause humaine et conduirait paradoxalement à ce qu'une femme laisse au bout du compte plus d'enfants en vie si elle en met moins au monde. La sélection naturelle n'a pas prévu de ménopause masculine à cause de trois réalités supplémentaires : les hommes ne sont pas exposés aux dangers de l'accouchement, meurent rarement pendant qu'ils copulent, et risquent moins qu'une femme de s'épuiser en soins pour leurs enfants.

Faisons l'hypothèse d'une vieille femme qui n'aurait pas subi la ménopause et qui mourrait en couches, ou en s'occupant de son nourrisson. Cette femme perdrait encore plus que ce qu'elle aurait déjà investi dans ses enfants existants. En effet, les enfants d'une femme se mettent un jour à produire leurs propres enfants, et ceux-ci comptent comme faisant partie de l'investissement de leur grand-mère. Surtout dans les sociétés traditionnelles, la survie d'une femme est essentielle, non seulement pour ses enfants, mais aussi pour ses petits-enfants.

Ce rôle prolongé des femmes ménopausées a fait l'objet de travaux menés par Kristen Hawkes, l'anthropologue dont j'ai cité la recherche sur le rôle de l'homme au chapitre V. Hawkes et ses collaborateurs se sont intéressés à la cueillette des femmes chez les Hadza, chasseurs-cueilleurs de Tanzanie, en les répartissant par classe d'âge. Les femmes qui passaient le plus de temps à cueillir et ramasser de la nourriture (surtout des racines, du miel et des fruits) étaient les femmes ménopausées. Ces laborieuses grand-mères Hadza faisaient de longues journées de sept heures, contre seulement trois pour les adolescentes et les jeunes mariées, et quatre et demie pour les femmes mariées avec de jeunes enfants. Comme on aurait pu s'y attendre, le rendement de ce travail (mesuré en kilos de nourriture récoltés par heure) augmentait avec l'âge et l'expérience, ce qui fait que les femmes mûres parvenaient à des rendements plus élevés que les adolescentes, mais il est intéressant de noter que les rendements des grand-mères restaient aussi élevés que ceux des femmes dans la fleur de l'âge. Un plus grand nombre d'heures passées à la tâche, allié à une efficacité inchangée, faisait que ces aïeules rapportaient plus de nourriture à la journée que leurs cadettes de quelque catégorie que ce soit, même si ces copieuses récoltes excédaient de beaucoup la quantité nécessaire pour subvenir à leurs propres besoins, et qu'elles n'avaient plus de jeunes enfants dépendants à nourrir.

Hawkes et ses collaborateurs remarquèrent que les aïeules Hadza partageaient l'excédent de nourriture avec des parents proches, comme leurs petits-enfants et leurs enfants adultes. Pour transformer des calories de nourriture en kilos de nourrisson avec le meilleur rendement possible, une grand-mère a intérêt à donner des calories à ses petits-enfants et à ses enfants âgés plutôt qu'à ses propres nourrissons (même si elle pouvait encore enfanter), car la fertilité de la femme plus âgée diminuerait de toute façon avec l'âge, alors que ses enfants adultes seraient au sommet de leur fertilité. Naturellement, l'apport de nourriture ne représente pas la seule contribution des femmes ménopausées dans les sociétés traditionnelles. Une grand-mère garde aussi ses petits-enfants, aidant ainsi ses enfants à produire plus d'enfants qui portent les gènes de leur grand-mère. De plus, celles-ci font profiter de leur statut social à leurs petits-enfants, ainsi qu'à leurs enfants.

Si l'on devait jouer à être Dieu ou Darwin, et que l'on tentait de décider s'il fallait que les femmes d'un certain âge subissent la ménopause ou qu'elles restent fertiles, on établirait un tableaubilan où l'on ferait figurer les bénéfices de la ménopause dans une colonne, et son coût dans l'autre. Le coût de la ménopause, ce sont les enfants potentiels dont elle prive la femme. Dans la colonne des bénéfices possibles, on inscrit la longévité accrue de la femme elle-même, dont les risques de mourir en accouchant ou en s'occupant d'un bébé à un âge tardif diminuent, et les meilleures chances de survie de ses petits-enfants et de ses enfants. L'importance de ces avantages dépend de plusieurs facteurs : quelle est la probabilité de décès pendant ou à la suite de l'accouchement ? Dans quelle mesure ce risque augmente-t-il avec l'âge ? Quel serait le risque de mourir au même âge même sans enfants ou sans le fardeau des responsabilités parentales ? À quel rythme la fertilité diminue-t-elle avant la ménopause ? À quel rythme continuerait-elle de diminuer chez une femme vieillissante qui ne subirait pas la ménopause ? Tous ces facteurs varient forcément d'une société à l'autre et ne sont pas faciles à évaluer. Ainsi, les anthropologues ne se sont pas encore prononcés sur la question de savoir si les deux considérations dont j'ai discuté ici, à savoir l'investissement dans les petits-enfants et la protection de l'investissement que représentent les enfants précédents, suffisent à compenser le manque à gagner qu'implique la ménopause, et donc à expliquer l'apparition de la ménopause féminine chez les humains.

Mais la ménopause comporte encore un avantage, sur lequel on s'est encore très peu penché. Il s'agit de l'importance des personnes âgées

pour leur tribu tout entière dans les sociétés il-
lettrées, qui englobaient toutes les sociétés du
monde des origines à l'avènement de l'écriture en
Mésopotamie vers 3300 avant J.-C. Les traités de
génétique affirment que la sélection naturelle ne
peut pas éliminer les mutations qui tendent à
causer des dégâts chez les personnes âgées. Ils
prétendent qu'une telle sélection serait impossible parce que les personnes âgées sont « post-re-
productrices ». Je crois que de telles affirmations
négligent un fait important qui distingue les
humains de la plupart des espèces animales.
Aucun être humain, sauf peut-être un ermite,
n'est réellement « post-reproducteur » au sens
d'être incapable de contribuer à la survie et à la
reproduction d'autres personnes portant ses gènes. J'admets que si les orangs-outans vivaient
suffisamment longtemps dans la nature pour devenir stériles, ils compteraient comme étant
post-reproducteurs car, à part les mères ayant un
petit en bas âge, ces animaux sont généralement
solitaires. Je reconnais aussi que la contribution
des personnes très âgées aux sociétés modernes
tend à diminuer avec le temps, phénomène récent à l'origine des problèmes considérables que
pose aujourd'hui le vieillissement, pour les personnes âgées elles-mêmes comme pour le reste
de la société. Aujourd'hui, nos sources d'informations sont les documents écrits, la télévision, ou
la radio. Il nous est difficile de comprendre combien les personnes âgées étaient autrefois prisées
pour leur savoir et leur expérience.

Voici un exemple de ce rôle. Dans le cadre de mes travaux sur l'écologie des oiseaux en Nouvelle-Guinée, et dans les îles attenantes du Pacifique Sud, je vis au milieu de gens qui traditionnellement n'ont pas accès à l'écriture, se servent d'outils de pierre, et subsistent grâce au fermage et à la pêche, complétés par une chasse et une cueillette intensives. Je demande constamment aux villageois de m'apprendre le nom des espèces locales d'oiseaux, d'animaux et autres plantes dans leur langage, et de me dire ce qu'ils savent de chaque espèce. Il se trouve que les habitants de Nouvelle-Guinée et des îles du Pacifique possèdent des connaissances biologiques traditionnelles très étendues, dont les noms de plus de mille espèces, ainsi que des renseignements sur leur habitat, leur comportement, leur niche écologique, et leur utilité pour les humains. Toutes ces connaissances sont indispensables parce que, traditionnellement, les plantes et les animaux sauvages fournissent une part importante de la nourriture de ces habitants, et la totalité de leurs matériaux de construction, de leurs médicaments, et de leurs objets de décoration.

Très souvent, quand je demande un renseignement sur un oiseau rare, je constate que seuls les plus âgés des chasseurs sont en mesure de me répondre, et je finis toujours par poser une question qui les laisse, même eux, perplexes. Les chasseurs déclarent alors : « Il faut demander au vieux (ou à la vieille). » Puis ils me mènent à une hutte, dans laquelle se trouve un vieil homme, ou une vieille femme, souvent aveugle et souffrant de cataracte, pouvant à peine marcher, édenté, et incapable d'ingérer des aliments que quelqu'un n'a pas préalablement mâché pour lui. Mais cet ancien est l'encyclopédie de la tribu. Comme cette société n'a traditionnellement pas accès à l'écriture, il ou elle en sait beaucoup plus sur le milieu environnant que quiconque, et représente la seule source fiable d'informations relatives à certains événements très anciens. J'obtiens alors le nom de l'oiseau rare, et sa description.

L'expérience qu'a accumulée cette personne âgée est importante pour la survie de la tribu tout entière. En voici un exemple. En 1976, je me suis rendu à l'île de Rennell dans l'archipel de Salomon, qui se trouve sur la route des cyclones au sud-ouest du Pacifique. Quand j'ai cherché à obtenir des renseignements sur les fruits et les graines que mangent les oiseaux, mes informateurs Rennellais ont nommé, dans leur langue, des douzaines d'espèces de plantes, avec, pour chacune d'entre elles, la liste de toutes les espèces d'oiseaux et de chauves-souris qui en consomment les fruits, me précisant lesquels de ces fruits étaient comestibles pour l'homme. Ces estimations de comestibilité répartissent les fruits en trois classes : les fruits qu'on ne mange jamais ; les fruits qu'on mange normalement ; et les fruits qu'on ne mange qu'en cas de famine, comme après — et là un terme qui m'était inconnu revenait constamment — le *hungi kengi*. J'appris ensuite que c'est par ce mot que les Rennellais désignaient le cyclone le plus dévastateur à avoir frappé l'île de mémoire d'homme, apparemment vers 1910, date obtenue en recoupant différentes allusions à des événements répertoriés par l'Administration coloniale européenne. Le hungi kengi déracina la plupart des arbres de Rennell, détruisit les jardins, et amena les habitants de l'île au bord de la famine. Les habitants survécurent en consommant les fruits des plantes sauvages qu'on ne mangeait pas normalement, mais il fallait pour cela savoir précisément quelles plantes étaient vénéneuses, lesquelles ne l'étaient pas et si, ou par quelle méthode, on pouvait en extraire le poison.

Quand j'ai commencé à harceler mes Rennellais d'âge mûr de mes questions sur la comestibilité des fruits, ils m'ont mené à une hutte. Là, au fond de la hutte, mes yeux s'étant accoutumés à l'obscurité, je découvris l'inévitable très vieille femme, frêle, incapable de marcher sans assistance. C'était la dernière personne en vie à avoir une connaissance directe des fruits dont la comestibilité et la valeur nutritive avaient été éprouvées après le hungi kengi, avant que les jardins ne se remettent à produire. La vieille femme m'expliqua qu'elle était à l'époque du hungi kengi une enfant pas encore tout à fait en âge de se marier. Comme nous étions en 1976, et que le cyclone s'était abattu sur l'île soixante-six ans auparavant, vers 1910, cette femme devait avoir quatre-vingt-un ou quatre-vingt-deux ans environ. Sa survie, après le cyclone de 1910, avait tenu aux connaissances qu'étaient capables de se remémorer les survivants, alors très vieux, du grand cyclone ayant précédé le hungi kengi.

Maintenant, en cas de nouveau cyclone, le sort de son peuple dépendrait de ses souvenirs à elle, qui heureusement étaient très nombreux et précis.

On pourrait multiplier à l'infini ce genre d'anecdote. Les sociétés humaines traditionnelles sont fréquemment confrontées à des risques mineurs qui menacent quelques individus, mais parfois aussi à des catastrophes naturelles rares ou à des guerres tribales qui mettent toute la société en péril. Mais dans une petite société traditionnelle, presque tout le monde est parent. Ainsi, les personnes âgées ne sont pas seulement indispensables à la survie de leurs propres enfants et petits-enfants, mais aussi aux centaines de personnes qui partagent leurs gènes.

Toute société, comptant des individus suffisamment âgés pour pouvoir se souvenir du dernier événement de type hungi kengi, avait de meilleures chances de survivre qu'une société sans anciens. Les hommes âgés ne courant pas les risques de l'accouchement ou de l'allaitement, ou encore la charge des soins aux enfants, l'évolution ne leur a pas donné de ménopause protectrice. Mais les vieilles femmes, qui ne subissaient pas de ménopause, disparurent du réservoir génétique parce qu'elle restaient exposées aux risques de l'enfantement et de l'épuisement par surmenage parental. En temps de crise, par exemple à l'occasion d'un hungi kengi, la disparition préalable d'une telle femme âgée risquait aussi d'éliminer du vivier génétique tous les parents qui lui avaient survécu — un prix terrible à payer pour l'avantage douteux consistant à produire encore un ou deux bébés supplémentaires, face à des risques croissants. Je considère que la valeur sociale de la mémoire des vieilles femmes fut l'un des moteurs de la ménopause.

Bien sûr, les êtres humains ne représentent pas la seule espèce à vivre en groupes d'animaux liés par leurs gènes et dont la survie dépend de connaissances acquises puis transmises culturellement (c'est-à-dire pas génétiquement) d'un individu à l'autre. Nous commençons, par exemple, à reconnaître que les baleines sont des animaux intelligents, ayant des relations sociales et des mœurs complexes, comme le chant des baleines à bosse. Les baleines pilotes, l'autre espèce de mammifère pour laquelle la ménopause est un phénomène bien établi, en fournissent un bon exemple. Comme les sociétés traditionnelles de chasseurs-cueilleurs, les baleines pilotes vivent en « tribus » de 50 à 250 individus. Des études génétiques ont montré qu'une tribu de baleines pilotes constitue en fait une énorme famille, dont tous les membres sont liés par le sang, car ni les mâles ni les femelles ne passent d'un groupe à un autre. Un pourcentage conséquent des femelles adultes de la famille sont ménopausées. Bien que l'enfantement ne soit pas aussi risqué pour les baleines pilotes que pour les femmes, la ménopause est peut-être apparue chez cette espèce parce que les vieilles femelles, qui ne subissaient pas la ménopause, succombaient trop souvent à l'épreuve de l'allaitement et du surmenage parental.

Il y aussi d'autres espèces d'animaux sociaux pour lesquelles il reste à établir plus précisément quel pourcentage de femelles atteignent une ménopause dans les conditions naturelles. Parmi les espèces candidates, on compte par exemple les chimpanzés, les bonobos, les éléphants d'Afrique, d'Asie, et les orques. La plupart de ces espèces subissent tant de pertes dues aux déprédations humaines que nous avons peut-être déjà laissé passer l'occasion de découvrir si la ménopause est un phénomène significatif pour elles dans le milieu naturel. Cependant, les biologistes ont déjà commencé à recueillir des données pertinentes pour les orques. Une des raisons qui expliquent la fascination qu'exercent sur nous les orques et tous ces autres grands mammifères sociaux est qu'il est facile d'établir des parallèles entre leurs structures sociales et les nôtres. Ne serait-ce que pour cette raison, je ne serais pas étonné si certaines de ces espèces, elles aussi, en faisaient moins pour en faire plus.

Chapitre VII

ÉTHIQUE PUBLICITAIRE

L'évolution du signalement

Mes amis, que je nommerai Art et Judy Smith, avaient traversé une passe difficile dans leur mariage. Après une série d'aventures extra-conjugales, ils s'étaient séparés. Puis ils s'étaient remis ensemble, en partie parce que leur séparation avait été très éprouvante pour les enfants. Ils travaillaient donc à ressouder leur couple, et s'étaient promis la fin de leurs infidélités. Mais leurs relations restaient affectées par un passé de soupçons et d'amertume.

C'est dans cet état d'esprit qu'Art téléphona chez lui, un matin, durant un voyage d'affaires qui l'avait éloigné quelques jours. Une voix grave lui répondit. Art ressentit une sensation d'étouffement, pendant que toute une série d'hypothèses lui traversaient la tête (*Est-ce que je me suis trompé de numéro ? Pourquoi y a-t-il un homme chez moi ?*). Ne sachant que dire, il balbutia : « Est-ce que Mme Smith est là ? » L'homme répondit tranquillement : « Elle est dans sa chambre en train de s'habiller. »

En un éclair, Art se sentit suffoquer de rage.

Il se mit à hurler intérieurement : « Elle recommence à me tromper ! La voilà qui passe la nuit avec ce salaud, et dans mon lit encore ! Il se permet même de répondre au téléphone ! » Art se voyait déjà courir chez lui, tuer l'amant de sa femme, et écraser la tête de cette dernière contre le mur. Encore à peine capable d'en croire ses oreilles, il balbutia : « Qui... est... à l'appareil ? »

Au bout du fil, la voix se brisa soudain, passa du baryton au soprano, et répondit : « Mais, Papa, tu ne me reconnais pas ? » C'était le fils d'Art et Judy, adolescent en pleine mue. Art en eut à nouveau le souffle coupé, mais cette fois par un mélange de soulagement, de fou rire, et de sanglots.

En entendant Art me raconter cette histoire, j'ai pris conscience du fait que nous les humains, la seule espèce rationnelle, nous vivons encore sous le joug d'instincts irrationnels et bestiaux. Une simple élévation d'un demi-octave dans le timbre de la voix, sur une demi-douzaine de syllabes tout à fait anodines, et l'image évoquée par l'interlocuteur passait du dangereux rival à l'enfant inoffensif, en même temps que la folie meurtrière d'Art faisait place à l'amour paternel. C'est par d'autres détails tout aussi insignifiants que nous différencions le jeune et le vieux, le beau et le laid, le fort et le faible. L'histoire d'Art illustre le pouvoir de ce que les zoologues appellent un signal : une indication très vite reconnaissable, peut-être négligeable en elle-même, mais dénotant un ensemble complexe de caractères biologiques, tels que le sexe, l'âge, l'agressivité, ou le lien de parenté. Les signaux sont essentiels à la communication animale, c'est-à-dire les processus par lesquels un animal influence le comportement d'un autre de façon à favoriser la survie de l'un ou des deux individus. Un petit signal, nécessitant peu d'énergie en soi (comme de prononcer quelques syllabes d'une voix grave), peut provoquer un comportement entraînant une grosse consommation d'énergie (comme de risquer sa vie en tentant de tuer un autre individu).

Les signaux des humains et d'autres animaux ont évolué par sélection naturelle. Considérons par exemple deux individus de la même espèce, de force et de taille légèrement différentes, convoitant tous deux une même ressource. Il serait dans leur intérêt à tous deux d'échanger des signaux qui refléteraient avec justesse leurs puissances respectives, et donc l'issue probable d'un combat. En évitant le combat, l'individu le plus faible s'épargne l'éventualité d'être blessé, peut-être mortellement, tandis que le plus fort s'épargne une dépense d'énergie et une prise de risques inutiles.

Comment les signaux des animaux évoluent-ils ? Que transmettent-ils exactement ? Sont-ils entièrement arbitraires, ou ont-ils un sens plus profond ? Qu'est-ce qui assure leur fiabilité et réduit au maximum la tromperie ? Nous allons nous pencher sur ces questions relatives aux signaux physiques des humains, surtout ceux d'ordre sexuel. Cependant, il est utile de commencer par un tour d'horizon des autres espèces animales, plus faciles à étudier que les humains, qui ne permettent pas certaines expériences aux paramètres bien contrôlés. Comme nous allons le voir, les zoologues ont pu améliorer leur connaissance des signaux animaliers en pratiquant des modifications chirurgicales bien précises sur des animaux. Il est vrai que certains humains se font modifier le corps par la chirurgie esthétique, mais ceci ne constitue pas une expérience en milieu contrôlé.

Les animaux ont recours à différents moyens de communication. Parmi les plus familiers pour nous, il y a les signaux auditifs, comme les chants territoriaux grâce auxquels les oiseaux attirent des partenaires et s'en assurent l'exclusivité, ou les cris d'alerte par lesquels ils avertissent leurs congénères de la présence d'un dangereux prédateur dans les parages. Tout aussi familiers pour nous sont les signaux liés au comportement : les amis des chiens savent qu'un chien qui dresse les oreilles et la queue et dont le poil de la nuque se hérisse est agressif, mais qu'un chien qui baisse la queue et les oreilles et dont le poil de la nuque reste lisse est soumis ou conciliant. Beaucoup de mammifères emploient des signaux olfactifs pour marquer leur territoire (par exemple quand un chien marque un réverbère de l'odeur de son urine), et les fourmis y ont recours pour baliser la piste qui mène à une source de nourriture. D'autres modes de communication, comme les signaux électriques qu'échangent certains poissons, nous sont peu familiers et imperceptibles.

Les signaux que je viens de citer ne sont utilisés que par intermittence. D'autres au contraire sont durablement ou même définitivement intégrés dans l'anatomie de l'animal pour transmettre différents types de messages. Le sexe est repérable aux différences de plumage entre les mâles et les femelles chez beaucoup d'espèces d'oiseaux, ou à la forme de la tête chez les gorilles et les orangs-outans. Comme je l'ai dit au chapitre IV, les femelles de beaucoup d'espèces de primates signalent leur ovulation par la boursouflure et la coloration voyante des muqueuses du vagin ou du postérieur. Les jeunes sexuellement immatures de la plupart des espèces d'oiseaux diffèrent des adultes par leur plumage ; le dos des gorilles mâles se couvre, à la maturité sexuelle, de poils argentés en forme de selle. Les goélands cendrés signalent leur âge plus précisément par un plumage qui varie de façon caractéristique à un, deux, trois, et quatre ans ou plus.

On peut étudier le signalement des animaux à l'aide d'un animal modifié ou d'un mannequin présentant des signaux altérés. Par exemple, pour des individus d'un sexe donné, le pouvoir de séduction est lié à des parties du corps bien précises, comme nous le savons bien pour les humains. Dans le cadre d'une expérience à ce propos, pour tester si la queue du mâle de la veuve géante d'Afrique, longue de quarante centimètres, jouait un rôle dans la parade amoureuse, on en raccourcit certaines et on en rallongea d'autres. Il s'avère qu'un mâle, dont la queue a été ramenée à quinze centimètres, n'attire que peu de partenaires, alors qu'un mâle, dont on a porté la queue à soixante-cinq centimètres avec une rallonge collée, bénéficie d'un surcroît de popularité. Un oisillon goéland cendré tout frais sorti de l'œuf assène des coups de bec sur une tache rouge qui orne le bec de son père ou de sa mère, provoquant la régurgitation d'aliments à moitié digérés qui constitueront son repas. C'est bien le coup de bec de l'oisillon qui induit le vomissement du parent, mais c'est la vision d'une tache rouge sur fond pâle et sur un support de forme allongée qui induit le coup de bec du petit. Un bec artificiel, orné d'une tache rouge, reçoit quatre fois plus de coups qu'un bec sans tache, tandis qu'un bec artificiel d'une autre couleur, quelle qu'elle soit, en reçoit deux fois moins qu'un bec rouge. Dernier exemple : une espèce européenne d'oiseaux, la mésange charbonnière, arbore une raie noire sur la poitrine dont la fonction est de signaler son statut social. Lors d'expériences consistant à disposer des mésanges à moteur télécommandées devant des mangeoires, on a constaté qu'une mésange réelle, s'apprêtant à venir s'alimenter à la mangeoire, bat en retraite si et seulement si la raie du mannequin est plus large que la sienne.

Comment l'évolution a-t-elle pu faire qu'un facteur apparemment arbitraire, comme la longueur de la queue, la couleur d'une tache sur le bec, ou la largeur d'une raie noire, déclenche des réactions aussi fortes ? Pourquoi une mésange charbonnière parfaitement valide devrait-elle renoncer à sa nourriture seulement parce qu'elle a vu un autre oiseau dont la raie noire est légèrement plus large que la sienne ? Comment une raie noire peut-elle suggérer la force de façon aussi dissuasive ? On pourrait croire qu'une mésange charbonnière en tous points médiocre, mais dotée d'un gène de raie large, pourrait ainsi accéder à un statut social qu'elle ne mérite pas. Pourquoi ce genre de tromperie ne se généralise-t-il pas, détruisant le sens du signal ?

Ces questions ne sont pas encore résolues et sont âprement débattues par les zoologues, en partie parce que les réponses varient selon le signal et l'espèce considérés. Pour les signaux sexuels physiques, c'est-à-dire des structures corporelles sexuées, qui servent de signal pour attirer des partenaires potentiels du sexe opposé, ou pour impressionner des rivaux du même sexe, trois théories sont en concurrence.

La première théorie, proposée par le généticien britannique Sir Ronald Fisher, s'appelle le modèle de sélection « boule de neige » de Fisher. Les femelles humaines, et les femelles de toutes les autres espèces animales, sont confrontées au choix d'un partenaire sexuel, qui soit de préférence doté de bons gènes à transmettre à leur descendance. C'est une tâche difficile parce que, comme les femmes ne le savent que trop, les femelles n'ont pas de moyen direct d'évaluer la qualité des gènes d'un mâle. Supposons qu'une femelle ait, d'une manière ou d'une autre, été programmée pour préférer les mâles dotés d'une certaine structure légèrement avantageuse pour la survie. Les mâles possédant cette structure préférée y gagneraient alors un avantage supplémentaire : ils attireraient plus de femelles et transmettraient ainsi leurs gènes à une plus nombreuse descendance. Les femelles qui préféreraient les mâles porteurs de cette structure y gagneraient aussi : elles en transmettraient le gène à leurs fils, qui, à leur tour, attireraient toutes les femelles.

Il s'ensuivrait un processus de sélection « boule de neige », favorisant les mâles chez lesquels cette structure aurait atteint des dimensions exagérées, ainsi que les femelles dont les gènes les porteraient vers une préférence démesurée pour cette structure. De génération en génération, la structure en question augmenterait en taille ou en visibilité jusqu'à perdre ce léger avantage initial. On peut, par exemple, supposer qu'une queue un peu plus longue facilite le vol de l'oiseau, mais la queue gigantesque du paon ne lui est absolument d'aucune utilité pour voler. Le processus d'évolution « boule de neige » ne s'arrêterait que quand une exagération supplémentaire du trait nuirait à la survie.

Une seconde théorie, proposée par le zoologue israélien Amotz Zahavi, souligne que beaucoup de structures, qui fonctionnent comme signaux sexuels, sont si grandes ou si voyantes qu'elles doivent effectivement nuire à la survie de l'individu qui les porte. Par exemple, non seulement la queue d'un paon ou d'une veuve ne contribue pas à la survie de l'oiseau, mais elle lui rend au contraire la vie plus difficile. Avec une queue lourde,

longue et large, il est difficile de se frayer un chemin dans une végétation dense, de prendre son
envol, de rester en l'air, et d'échapper ainsi aux
prédateurs. Beaucoup de signaux sexuels, comme
la crête dorée du paradisier, sont de grosses
structures, brillantes et voyantes, qui tendent à
attirer l'attention des prédateurs. De plus, la fabrication d'une grande crête ou d'une grande
queue est coûteuse en énergie biosynthétique. En
conséquence, dit Zahavi, tout mâle qui réussit à
survivre en dépit d'un handicap aussi coûteux signale en fait aux femelles qu'il doit posséder par
ailleurs des gènes extraordinaires. Quand une femelle voit un mâle affublé d'un tel handicap, elle
a la garantie qu'il ne triche pas en portant un
gène de longue queue, tout en étant inférieur par
ailleurs. Il n'aurait pas pu se permettre de fabriquer cette structure, et ne serait plus en vie, s'il
n'était réellement supérieur.

On peut tout de suite penser à beaucoup de
comportements humains qui sont en conformité
avec la théorie du signalement fiable de Zahavi.
N'importe quel homme peut affirmer à une
femme qu'il est riche et qu'elle devrait donc coucher avec lui dans l'espoir de se faire épouser,
mais il peut mentir. Ce n'est qu'en le voyant gas-
piller de l'argent en bijoux coûteux et inutiles, et
en voitures de sport, qu'elle peut le croire. Certains étudiants mettent un point d'honneur à
faire la fête la veille d'un grand examen. Ceci revient à dire : « N'importe quel imbécile peut obtenir un A à force de travail, mais moi, je suis

tellement intelligent que je peux obtenir un A malgré le handicap de n'avoir pas travaillé. »

La dernière théorie des signaux sexuels, formulée par les zoologues américains Astrid Kodric-Brown et James Brown, s'appelle « publicité fiable ». Comme Zahavi et contrairement à Fisher, les Brown soulignent que les structures physiologiques coûteuses sont de bons gages de qualité, parce qu'un animal inférieur ne pourrait supporter leur coût. Contrairement à Zahavi, qui pense que ces structures coûteuses nuisent à la survie, les Brown considèrent qu'elles la favorisent ou qu'elles sont intimement liées à des traits qui l'avantagent. La structure coûteuse est donc doublement honnête : seul un animal supérieur peut se la permettre, ce qui accroît encore sa supériorité.

Les bois du cerf, par exemple, représentent un investissement important en calcium, en phosphate et en calories, et pourtant les cerfs en font une nouvelle paire chaque année. Seuls les mâles les mieux nourris, les mâles matures, dominants, et sans parasites, peuvent se permettre cet investissement. Ainsi, une biche est en droit d'interpréter des bois imposants comme un gage de qualités viriles, tout comme une femme dont le petit ami change de voiture de sport chaque année peut le croire quand il se targue d'être très riche. Mais les bois en disent plus long que les Porsche. Alors qu'une Porsche n'est pas génératrice de richesse, des bois imposants offrent à leur détenteur l'accès aux meilleurs pâturages en lui permettant de vaincre ses rivaux au combat et de repousser les prédateurs.

Voyons maintenant si une de ces trois théories, formulées pour expliquer l'évolution des signaux des animaux, permet également d'expliquer certaines aspects du corps humain. Mais d'abord, notre corps possède-t-il quelque caractéristique semblable à celles que nous venons de voir ? On peut d'abord être tenté de dire que seuls les animaux dépourvus de raison ont besoin d'insignes génétiquement codés, comme une tache rouge ici, ou une raie noire là, pour connaître l'âge, le statut, le sexe, la qualité génétique, et la valeur en tant que partenaire sexuel de l'individu auquel ils ont affaire. Nous, en revanche, nous avons un cerveau et une aptitude au raisonnement beaucoup plus développés que n'importe quel animal. De plus, nous possédons le don du langage, qui nous est propre, et pouvons ainsi emmagasiner et transmettre des informations beaucoup plus détaillées que n'importe quel autre animal. Quel besoin avons-nous de taches rouges et de raies noires, alors qu'il nous suffit de parler avec quelqu'un pour en connaître l'âge et le statut ? Quel animal peut dire à un autre qu'il a vingt-sept ans, qu'il gagne 700 000 francs par an et qu'il est le deuxième adjoint du vice-président de la troisième banque du pays ? Dans le choix d'un partenaire, ne passons-nous pas par une longue phase de fréquentation qui nous permet de l'estimer dans les domaines parental, relationnel et génétique ?

La réponse est simple : bêtises ! Nous nous fions, nous aussi, à des signaux aussi arbitraires que la queue d'une veuve et la crête d'un paradisier. Au nombre de ces signaux on peut citer le visage, les odeurs, la couleur des cheveux, la barbe et les seins. En quoi ces structures constituent-elles des critères plus valables qu'une belle crête d'oiseau pour le choix de celui ou celle qui comptera le plus dans notre vie d'adulte, notre partenaire économique et social, le coparent de nos enfants ? Si nous pensons que notre système de signalement exclut toute possibilité de tricher, pourquoi tant de personnes ont-elles recours au maquillage, à la coloration des cheveux, et à l'augmentation chirurgicale des seins ? Quant à notre processus de sélection prétendument si sage et si prudent, nous savons tous que, lorsque nous entrons dans une pièce pleine d'inconnus, nous sentons très vite si l'un ou l'autre nous attire physiquement. Ce « sex-appeal » quasi instantané n'est autre que la résultante des signaux physiques que nous percevons consciemment et inconsciemment. Notre taux de divorce, qui avoisine 50 % aux États-Unis, exprime d'ailleurs l'échec fréquent de nos méthodes de choix. Les albatros et beaucoup d'autres espèces animales font mieux que nous, avec des taux de « divorce » bien inférieurs. Tant pis pour notre sagesse et leur bêtise !

En fait, l'espèce humaine, comme bien d'autres, a acquis au cours de l'évolution beaucoup de signes physiques de l'âge, du sexe, du statut reproducteur, et des qualités individuelles, ainsi que des réponses programmées à ces traits. La maturité sexuelle est signalée pour les deux sexes par la pilosité du pubis et des aisselles. Les femmes signalent aussi leur maturité sexuelle par le développement des seins, et l'homme par la barbe et la pilosité générale, ainsi que par la mue de la voix. La mésaventure de Art est l'exemple d'une réaction humaine à de tels signaux, aussi spécifique et radicale que celle de l'oisillon goéland apercevant la tache rouge sur le bec de son père ou de sa mère. Plus tard dans la vie, nous signalons la baisse de la fertilité et l'accession au statut de sage (dans les sociétés traditionnelles) par l'apparition de cheveux blancs. Nous jaugeons la condition physique d'un mâle à l'importance et à la répartition de la masse musculaire, et celle d'une femelle à la quantité et à la répartition de la graisse. Les signaux physiques sur lesquels nous fondons le choix de notre partenaire coïncident en fait avec ces indicateurs de maturité sexuelle et de condition du corps, avec des variations géographiques dans l'intensité réelle et la préférence de ces signaux. Par exemple, la pilosité corporelle et faciale de l'homme varie selon l'ethnie. C'est aussi le cas de la taille et de la forme des seins et des mamelons de la femme, ainsi que de la couleur du mamelon. Ces structures ont un rôle de signal, tout comme la tache rouge et la raie noire des oiseaux. J'envisagerai plus loin de voir si le pénis est lui aussi utilisé comme signal.

Les scientifiques peuvent étudier les signaux des animaux à l'aide d'expériences consistant à modifier la physionomie de l'animal, par exemple en raccourcissant la queue d'une veuve ou en recouvrant la tache rouge d'un goéland d'une couche de peinture. La loi, la morale, et l'éthique interdisent de telles expériences sur les êtres humains. Il existe d'autres obstacles à notre compréhension des signaux humains : la force des sentiments affecte l'objectivité ; les goûts, et les modifications que nous apportons nous-mêmes à notre corps varient localement et selon l'individu. Inversement, ces différences et ces automodifications font office d'expérience spontanée, mais certes non contrôlée. Trois types de signaux humains au moins me paraissent conformes au modèle de « publicité fiable » de Kodric-Brown et Brown : la masse musculaire de l'homme, la « beauté » du visage pour les deux sexes, et l'embonpoint féminin.

La masse musculaire de l'homme impressionne les deux sexes, même si la plupart des gens trouvent grotesques les muscles gonflés des culturistes professionnels. En général, les femmes préfèrent un homme bien proportionné et musclé à un gringalet. Les hommes interprètent aussi le développement musculaire d'autres hommes comme un signal : dans une situation de conflit, par exemple, il leur permet d'évaluer rapidement s'il vaut mieux se battre ou se retirer. Au gymnase que nous fréquentons, ma femme et moi, il y a un éducateur physique magnifiquement musclé. Chaque fois qu'il s'entraîne aux haltères, tous les regards, féminins et masculins, sont braqués sur lui. Quand il explique à un client l'usage d'un des appareils de musculation, il commence par faire lui-même une démonstration en demandant au client de poser la main sur le muscle concerné de son corps, afin de bien comprendre le mouvement. Sans aucun doute, cette méthode d'explication a une valeur pédagogique, mais je suis sûr que le professeur est sensible à l'effet du contact sur son élève.

Au moins dans les sociétés traditionnelles qui reposent sur le travail musculaire plutôt que sur celui des machines, une bonne musculature est un gage de qualité virile, comme les bois des cerfs. Elle permet aux hommes de récolter des aliments, de construire des maisons, et de battre leurs rivaux. En fait, les muscles jouent un rôle beaucoup plus important dans la vie d'un homme traditionnel que les bois dans la vie d'un cerf, qui ne s'en sert que pour se battre. De plus, les hommes doués d'autres qualités par ailleurs sont plus à même d'acquérir les aliments nécessaires au développement et à l'entretien de muscles développés. On peut tricher sur son âge en se teignant les cheveux, mais on ne peut pas tricher sur la taille de ses muscles. Bien entendu, l'évolution n'a pas donné aux hommes de gros muscles dans le seul but d'impressionner le monde, contrairement à la crête dorée des paradisiers mâles qui ne sert qu'à impressionner ses congénères. Au contraire, l'évolution des muscles est commandée par les tâches à accomplir. La

capacité de reconnaître en ces muscles des signaux fiables n'est venue que par la suite.

Un beau visage peut constituer un autre signal
fiable, bien que la raison sous-jacente ne soit
pas aussi transparente que dans le cas des muscles. Il peut sembler absurde que notre séduction
sexuelle ou sociale repose à un tel point sur la
beauté du visage. On pourrait penser que la
beauté est sans rapport avec la qualité des gènes,
les qualités parentales, ou l'aptitude à récolter de
la nourriture. Toutefois, le visage est la partie du
corps la plus sensible aux ravages de l'âge, de la
maladie, et des blessures. Dans les sociétés traditionnelles, un individu au visage déformé ou cou-
vert de cicatrices signale de fait sa sensibilité aux
infections défigurantes, ou son incapacité de se
soigner, ou la présence de vers parasites. Un
beau visage était donc un gage de bonne santé,
avec lequel on ne pouvait pas tricher avant la
chirurgie esthétique du XXe siècle.

Notre dernier candidat au statut de signal fiable est l'embonpoint féminin. La lactation et les
soins donnés aux enfants consommant beaucoup
d'énergie, une mère souffrant de malnutrition
sera mauvaise nourrice. Avant l'avènement du
lait en poudre et la domestication des animaux
laitiers, un défaut de lactation chez la mère
aurait été fatal pour l'enfant. Ainsi, la graisse
corporelle de la femme renseigne l'homme sur sa
capacité d'élever un enfant bien portant. Bien entendu, il est important que l'homme sache préférer la bonne quantité de graisse : une quantité
insuffisante laisse présager une mauvaise lacta-

tion, mais un excès peut se traduire par des difficultés à marcher, peu d'aptitude à la cueillette, ou une mort précoce par un diabète.

Peut-être parce que la graisse serait difficile à discerner si elle était uniformément répartie sur tout le corps, l'évolution l'a concentrée en certains sites où elle est facile à repérer et à évaluer, bien que l'emplacement de ces dépôts de graisse varie selon l'ethnie. Dans tous les cas, l'embonpoint se manifeste au niveau de la poitrine et des hanches, mais la répartition entre ces deux sites varie. Les femmes San, une population indigène du sud de l'Afrique (les « Bushmen » et les Hottentots), et les femmes des îles Andaman dans la baie du Bengale accumulent de la graisse au niveau des fesses, état dénommé stéatopygie. Les hommes du monde entier s'intéressent aux seins, aux hanches et aux fesses des femmes, d'où l'apparition dans les sociétés modernes d'un autre moyen de tricher sur les signaux : la chirurgie esthétique. Bien sûr, certains hommes s'intéressent moins que d'autres à ces indicateurs de nutrition. Et pour les mannequins, la mode est tantôt aux maigres, tantôt aux rondes. Néanmoins, la tendance générale est claire.

Jouant encore à Dieu ou à Darwin, cherchons quelle répartition de matière adipeuse conviendrait le mieux pour créer un signal. Il faudrait exclure les membres, dont la graisse alourdirait le mouvement. Cela nous conduit au tronc et à ses trois zones de dépôt citées plus haut. Mais pourquoi d'autres zones, comme le ventre où le milieu du dos ne sont-elles pas utilisées ? Pourquoi des dépôts de graisse y poseraient-ils plus de problèmes que ceux des seins et des fesses, qui sont universellement utilisés ? Il a été suggéré que de gros seins donnent non seulement la garantie d'une bonne nutrition, mais aussi, de façon plus spécifique, l'illusion de qualités nourricières (illusion, car c'est en fait le tissu glandulaire mammaire et non le tissu adipeux qui sécrète le lait). De même, les dépôts de graisse au niveau des hanches donneraient à la fois une indication de bonne santé et l'illusion d'un large bassin, minimisant le risque de complications lors de l'accouchement (illusion, car la largeur des hanches n'influe en rien sur celle du bassin).

Il est temps d'examiner les objections possibles à mon postulat de départ, celui qui fait de l'ornementation sexuelle du corps de la femme un facteur important dans l'évolution. Quelle qu'en soit l'interprétation, c'est un fait avéré que le corps féminin est paré de signaux sexuels, auxquels les hommes s'intéressent vivement. De ce point de vue, les femmes ressemblent aux femelles des primates qui vivent en troupes de plusieurs adultes, mâles et femelles : chimpanzés, babouins et macaques. Au contraire, les gibbons femelles et les femelles d'autres primates qui vivent en couples solitaires ont peu, ou pas, d'ornementation sexuelle. Cette corrélation suggère que cette ornementation ne se développe que si les femelles rivalisent entre elles pour attirer l'attention des mâles. La rivalité sert alors de moteur au processus d'évolution. Les femelles, qui ne sont pas obligées de rivaliser de façon aussi soutenue, ont moins besoin d'ornementations coûteuses.

Chez la plupart des espèces animales (y compris l'espèce humaine), le rôle de l'ornementation sexuelle masculine ne fait aucun doute, parce qu'il est certain que les mâles se disputent les femelles. En revanche, les scientifiques ont soulevé trois objections à l'idée que les femmes se disputent les mâles et qu'elles utilisent l'ornementation sexuelle féminine à cet effet. D'abord, dans les sociétés traditionnelles, au moins 95 % des femmes se mariaient, ce qui semble prouver que toute femme pouvait trouver un mari, sans rivalité. Comme me disait une de mes collègues : « Chaque poubelle a un couvercle, et il y a en général un homme laid pour chaque femme laide. »

Mais cette interprétation est démentie par les efforts des femmes pour décorer, voire modifier chirurgicalement leur corps afin de le rendre plus attirant. Car les hommes ne se valent pas tous : ils diffèrent fortement dans leurs gènes, dans les ressources qu'ils sont capables de mobiliser, dans leurs qualités parentales, et dans leur dévouement auprès de leur femme. Bien que pratiquement n'importe quelle femme finisse par trouver un homme, seules quelques-unes parviendront à s'attacher l'un des meilleurs, pour lesquels la concurrence est âpre. Cela, toutes les femmes le savent, même si certains scientifiques mâles semblent l'ignorer.

Une deuxième objection tient à ce que les hommes des sociétés traditionnelles n'avaient pas la possibilité de choisir leur épouse, que ce soit sur la base de l'ornementation sexuelle ou d'autres qualités. Au contraire, les mariages étaient arrangés, souvent dans le but avéré de consolider des alliances politiques. Néanmoins, la valeur marchande d'une jeune fille à marier dans les sociétés traditionnelles, comme les sociétés de Nouvelle-Guinée où je travaille, varie en fonction de ses attraits, de sa santé et de ses qualités reproductrices estimées, même si ce sont les membres de la famille qui choisissent pour le futur mari. De plus, les charmes féminins comptent certainement dans le choix des partenaires extra-conjugaux, qui sont probablement responsables d'une plus grande proportion des naissances dans les sociétés traditionnelles (du fait même que les maris ne choisissent pas leur épouse) que dans les sociétés modernes. En outre, les remariages, à la suite d'un divorce ou d'un décès, sont très courants dans les sociétés traditionnelles, et les hommes sont plus libres dans le choix d'une deuxième épouse.

La dernière objection tient à ce que les critères de beauté varient selon l'époque et l'individu. La minceur peut être en vogue une année mais pas l'année suivante, et certains préfèrent les femmes minces tout le temps. Mais cela ne représente qu'un peu de bruit qui complique l'analyse sans l'invalider : en moyenne, les hommes préfèrent toujours et partout les femmes jolies et bien nourries.

Nous venons de voir que plusieurs catégories de signaux, comme la musculature masculine, la beauté du visage, la quantité et la répartition de la graisse des femmes, semblent conformes au modèle de publicité fiable. Cependant, comme pour les animaux, certains signaux s'expliquent mieux selon certains modèles. Par exemple, la pilosité pubienne et axillaire signale de façon fiable que la maturité sexuelle est atteinte. Mais à la différence des muscles, de la beauté du visage, et de l'embonpoint, elle ne dit rien de la qualité de l'individu et ne contribue pas directement à la survie ou à l'allaitement des bébés. De même, si la malnutrition peut se manifester par un corps malingre et un visage défiguré, il est rare qu'elle entraîne la chute des poils pubiens. Même les hommes faibles et laids et les femmes disgracieuses et malingres ont du poil aux aisselles. La barbe, la pilosité corporelle, et la mue, qui signalent l'adolescence chez l'homme, ainsi que le blanchissement des cheveux qui indique le vieillissement, semblent eux aussi n'avoir comme fonction que celle de signal. Comme les taches rouges du bec des goélands et comme bien d'autres signaux animaliers, ces signaux humains sont peu coûteux en énergie et totalement arbitraires ; bien d'autres feraient tout aussi bien l'affaire.

Existe-t-il un signal humain qui fonctionne selon le modèle de sélection « boule de neige » de Fisher ou le principe du handicap de Zahavi ? À première vue, il n'apparaît pas que nous présentions de structures exagérées comparables aux quarante centimètres de la queue de la veuve. À la réflexion, cependant, je me demande si nous ne possédons pas une telle structure : le pénis. On pourrait protester qu'il n'a pas vocation à servir de signal et qu'il n'est rien de plus qu'un outil de reproduction bien conçu. Mais cette objection est faible : nous avons déjà vu que les seins des femmes constituent à la fois un outil de reproduction et un signal. Une comparaison avec nos parents les grands singes suggère que la taille du pénis humain dépasse le strict nécessaire fonctionnel, et que cet excédent pourrait constituer un signal. Le pénis en érection n'atteint que trois centimètres chez le gorille et quatre chez l'orang-outan contre treize chez l'homme, alors même que la masse corporelle de ces deux grands singes est supérieure à celle de l'homme.

Ces centimètres supplémentaires représentent-ils un luxe inutile ? Ou bien la grande taille du pénis s'explique-t-elle par le fait que nous pratiquons une bien plus grande diversité de positions sexuelles que bien d'autres mammifères ? Peut-être pas, puisque les quatre centimètres de pénis de l'orang-outan lui permettent toute une variété de positions qui concurrencent les nôtres, et qu'il peut même exécuter tout en étant pendu à un arbre. Quant à l'utilité possible d'un grand pénis pour faire durer l'accouplement, les orangs-outans nous dépassent aussi dans ce domaine (leur accouplement dure en moyenne quinze minutes, contre seulement quatre pour l'homme occidental).

La fonction signalétique du pénis humain est suggérée par la manière dont les hommes se confectionnent un pseudo-pénis, en substitution de leur organe naturel. C'est ainsi que les hommes des montagnes de Nouvelle-Guinée ont pour coutume d'envelopper leur pénis dans une gaine décorée, appelée phallocarpe, qui peut atteindre soixante centimètres de long et dix centimètres de diamètre. Elle est souvent de couleur rouge vif ou jaune, et arbore des décorations variées à son extrémité : fourrure, feuilles ou ornements fourchus. Quand je rencontrai pour la première fois, l'an dernier, des hommes de Nouvelle-Guinée avec des phallocarpes, dans la tribu ketengban des Star Mountains, j'en avais déjà beaucoup entendu parler et j'étais curieux de voir comment on s'en servait et comment les gens les expliquaient. Il s'avéra que les hommes portaient constamment leurs phallocarpes, en tout cas à chaque fois que je les rencontrais. Chaque homme en possède plusieurs modèles, qui varient dans leurs dimensions, dans leurs ornements, et dans l'angle d'érection, et chaque jour il choisit le modèle qu'il portera en fonction de son humeur, un peu comme tous les matins nous choisissons une chemise. Quand je leur demandai pourquoi ils portaient des phallocarpes, les Ketengban répondirent que, sans cela, ils se sentiraient nus et indécents. Cette réponse me surprit, en tant qu'Occidental, parce que les Ketengban étaient par ailleurs complètement nus, laissant même leurs testicules découverts.

En fait, le phallocarpe est un pseudo-pénis en érection très voyant, représentant les attributs dont l'homme aimerait être pourvu. Malheureusement, l'évolution de la taille du pénis a été limitée par la longueur du vagin de la femme. Un phallocarpe nous montre ce que pourrait être le pénis humain sans cette contrainte. C'est un signal encore plus audacieux que la queue de la veuve. Le véritable pénis, bien que plus discret qu'un phallocarpe, est d'une longueur indécente au regard de nos ancêtres primates, quoique le pénis du chimpanzé ait aussi augmenté par rapport à l'état ancestral extrapolé et que sa taille approche les dimensions humaines. Apparemment, l'évolution du pénis est un cas de la sélection « boule de neige » telle que Fisher l'a postulée. En partant du pénis de quatre centimètres du primate ancestral, comparable à celui d'un gorille ou d'un orang-outan actuel, le pénis humain s'est allongé par effet « boule de neige », conférant de ce fait à son propriétaire l'avantage d'un signal apparent de virilité, jusqu'au point où, le pénis menaçant de ne plus tenir dans le vagin, le processus de sélection s'est inversé, stoppant la croissance.

Le pénis humain illustre aussi le modèle du handicap développé par Zahavi, en tant que structure coûteuse et gênante pour celui qui la porte. Certes, il est plus petit et probablement moins onéreux que la queue du paon. Cependant, si le tissu excédentaire avait été utilisé pour le cerveau au lieu du pénis, cet homme nouveau modèle y aurait gagné un avantage appréciable. Ainsi, on peut considérer qu'un grand pénis se paye en occasions perdues : l'énergie biosynthétique disponible étant limitée, l'énergie gaspillée pour une structure l'est aux dépens d'une autre.

Il s'agit donc d'une manière pour l'homme de se vanter : « Je suis déjà si intelligent et supérieur que je n'ai pas besoin de développer mon cerveau, mais je peux au contraire me permettre le handicap d'agrandir inutilement mon pénis. »

Mais à qui s'adresse cette proclamation de virilité ? La plupart des hommes tiendraient pour évident que ce sont les femmes qu'on cherche à impressionner. Cependant, les femmes déclarent généralement qu'elles sont davantage attirées par d'autres aspects de l'homme, et que la vue d'un pénis est plus repoussante qu'autre chose. En fait, ce sont plutôt les hommes qui sont fascinés par le pénis et ses dimensions. Dans les vestiaires, ils ont l'habitude d'évaluer les attributs virils de leurs voisins de douche.

Même si certaines femmes aussi sont impressionnées à la vue d'un grand pénis ou apprécient la stimulation du clitoris et du vagin pendant l'acte sexuel (comme cela est très probable), il n'est pas nécessaire que notre discussion dégénère en polémique pour savoir si oui ou non un signal ne s'adresserait qu'à un seul sexe. Les zoologistes nous apprennent que les ornements sexuels ont souvent les deux fonctions : ils attirent des partenaires potentiels de sexe opposé, et ils marquent la supériorité sur des rivaux de même sexe. À cet égard, comme à beaucoup d'autres, nous, êtres humains, héritons de centaines de millions d'années d'évolution vertébrée, héritage qui a profondément marqué notre sexualité. À cet héritage, notre art, notre langage et notre culture ne sont venus s'ajouter que récemment.

La fonction signalétique possible du pénis humain ainsi que la cible de ce signal (s'il y en a une) demeurent donc des questions en suspens. Ce sujet vient à propos pour terminer ce livre, parce qu'il en illustre bien les thèmes principaux : l'importance, la fascination, et les difficultés inhérentes à une approche évolutionniste de la sexualité humaine. Le pénis ne pose pas seulement un problème physiologique, qu'on peut résoudre simplement et directement grâce à des expériences biomécaniques sur des modèles hydrauliques. Il pose aussi un problème d'évolution, celui de sa taille, quatre fois supérieure à celle (estimée) de nos ancêtres d'il y a 7 à 9 millions d'années. Ce développement appelle une explication fonctionnelle et historique. Comme nous l'avons vu pour l'exclusivité féminine de la lactation, pour l'ovulation cachée, pour le rôle de l'homme dans la société, et pour la ménopause, nous devons nous demander quelles forces de sélection ont provoqué la croissance progressive du pénis humain et expliquent le maintien de sa taille actuelle.

La fonction du pénis est aussi un sujet qui convient particulièrement bien à une conclusion parce qu'elle semble à première vue poser si peu de problèmes. Presque tout le monde s'accorderait à dire que la fonction du pénis est d'éjecter de l'urine, d'injecter du sperme, et de stimuler la femme physiquement pendant l'amour. Mais l'approche comparative nous apprend que ces

fonctions sont remplies ailleurs dans le règne
animal par une structure beaucoup plus petite
que celle dont nous nous encombrons. Elle nous
apprend aussi que ce genre de structure surdi-
mensionnée évolue dans la nature selon plusieurs schémas alternatifs que les biologistes
s'efforcent encore de comprendre. Ainsi, même
l'appareil sexuel le plus familier, et celui qu'on
pourrait croire le plus évident, nous étonne par
les questions qu'il soulève.

APPENDICES

BIBLIOGRAPHIE

Pour les lecteurs suffisamment intéressés pour vouloir en savoir plus, voici quelques idées de lecture. La première liste présente des livres sur la sexualité, le comportement, les primates, le raisonnement évolutionniste, et d'autres sujets liés. Beaucoup se veulent accessibles à tous, même sans formation scientifique. On peut les trouver dans certaines bibliothèques spécialisées ou suffisamment fournies, et beaucoup sont encore en circulation et sont donc disponibles en librairie. La seconde liste présente une douzaine d'exemples d'articles techniques, destinés aux scientifiques, et décrivent certains des travaux dont j'ai parlé dans cet ouvrage.

OUVRAGES :

Alcock, John. *Animal Behavior : An Evolutionary Approach*. 5ᵉ éd. Sunderland, Mass. : Sinauer Associates, 1993.

Austin, C. R., et R. V. Short. *Reproduction in Mammals*. 2ᵉ éd., vols. 1-5. Cambridge University Press, 1982-86.

Chagnon, Napoleon A., et William Irons, dir. *Evolutionary Biology and Human Social Behavior : An Anthropological Perspective*. North Scituate, Mass. : Duxbury Press, 1979.

Cronin, Helena. *The Ant and the Peacock : Altruism and Sexual Selection from Darwin to Today*. Cambridge : Cambridge University Press, 1991.

Daly, Martin, et Margo Wilson. *Sex, Evolution, and Behavior*. 2e éd. Boston : Willard Grant Press, 1983.

Darwin, Charles. *La Descendance de l'homme et la sélection sexuelle*. Paris : Complexe, 1981.

Diamond, Jared. *The Third Chimpanzee : The Evolution and Future of the Human Animal*. New York : HarperCollins, 1992.

Fedigan, Linda Marie. *Primate Paradigms : Sex Roles and Social Bonds*. Chicago : University of Chicago Press, 1992.

Goodall, Jane. *The Chimpanzees of Gombe : Patterns of Behavior*. Cambridge, Mass. : Harvard University Press, 1986.

Halliday, Tim. *Sexual Strategy*. Chicago : University of Chicago Press, 1980.

Hrdy, Sarah Blaffer. *The Woman That Never Evolved*. Cambridge, Mass. : Harvard University Press, 1981.

Kano, T. Takayoshi. *The Last Ape : Pygmy Chimpanzee Behavior and Ecology*. Stanford, Calif. : Stanford University Press, 1992.

Kevles, Bettyann. *Females of the Species : Sex and Survival in the Animal Kingdom*. Cambridge, Mass. : Harvard University Press, 1986.

Krebs, J. R., et N. B. Davies. *Behavioural Ecology : An Evolutionary Approach*. 3e éd. Oxford : Blackwell Scientific Publications, 1991.

Ricklefs, Robert E., et Caleb E. Finch. *Aging : A Natural History*. New York : Scientific American Library, 1995.

Rose, Michael R. *Evolutionary Biology of Aging*. New York : Oxford University Press, 1991.

Small, Meredith F. *Female Choices : Sexual Behavior of Female Primates*. Ithaca, N.Y. : Cornell University Press, 1993.

Smuts, Barbara B., Dorothy L. Cheney, Robert M. Seyfarth, Richard W. Wrangham, et Thomas T. Struhsaker, dir. *Primate Societies*. Chicago : University of Chicago Press, 1986.

Symons, Donald. *Du Sexe à la séduction : l'évolution de la sexualité humaine*. Paris : Sand, 1993.

Wilson, Edward O. *Sociobiologie*. Paris : Le Rocher, 1987.

ARTICLES SCIENTIFIQUES :

Alexander, Richard D. "How Did Humans Evolve ?" Special publication n° 1. University of Michigan Museum of Zoology, Ann Arbor, 1990.

Emlen, Stephen T., Natalie J. Demong, et Douglas J. Emlen. "Experimental Induction of Infanticide in Female Wattled Jacanas." *Auk* 106 (1989) : 1-7.

Francis, Charles M., Edythe L. P. Anthony, Jennifer A. Brunton, et Thomas H. Kunz. "Lactation in Male Fruit Bats." *Nature* 367 (1994) : 691-692.

Gjershaug, Jan Ove, Torbjörn Järvi, et Eivin Røskaft. "Marriage Entrapment by 'Solitary' Mothers : A Study on Male Deception by Female Pied Flycatchers." *American Naturalist* 133 (1989) : 273-276.

Greenblatt, Robert B. "Inappropriate Lactation in Men and Women." *Medical Aspects of Human Sexuality* 6 (1972) : 25-33.

Hawkes, Kristen. "Why Do Men Hunt ? Benefits for Risky Choices." In *Risk and Uncertainty in Tribal and Peasant Economies*, dir. Elizabeth Cashdan (pp. 145-166). Boulder, Colo. : Westview Press, 1990.

Hawkes, Kristen, James F. O'Connell, et Nicholas G. Blurton Jones. "Hardworking Hadza Grandmothers." In *Comparative Socioecology : The Behavioral Ecology of Humans and Other Mammals*, dir. V. Standen et R. A. Foley (pp. 341-366). Oxford : Blackwell Scientific Publications, 1989.

Hill, Kim, et A. Magdalena Hurtado. "The Evolution of Premature Reproductive Senescence and Menopause in

Human Females : An Evaluation of the 'Grandmother Hypothesis.'" *Human Nature* 2 (1991) : 313-350.

Kodric-Brown, Astrid, et James H. Brown. "Truth in Advertising : The Kinds of Traits Favored by Sexual Selection." *American Naturalist* 124 (1984) : 309-323.

Oring, Lewis W., David B. Lank, et Stephen J. Maxson. "Population Studies of the Polyandrous Spotted Sand-piper." *Auk* 100 (1983) : 272-285.

Sillén-Tulberg, Birgitta, et Anders P. Møller. "The Relationship Between Concealed Ovulation and Mating Systems in Anthropoid Primates : A Phylogenetic Analysis." *American Naturalist* 141 (1993) : 1-25.

INDEX

DU MÊME AUTEUR

Aux Éditions Gallimard

LE TROISIÈME CHIMPANZÉ. *Essai sur l'évolution et l'avenir de l'animal humain*, NRF essais, 2000.

DE L'INÉGALITÉ PARMI LES SOCIÉTÉS. *Essai sur l'homme et l'environnement dans l'histoire*, NRF essais, 2000 ; Folio essais n° 493.

EFFONDREMENT. *Comment les sociétés décident de leur disparition ou de leur survie*, NRF essais, 2006 ; Folio essais n° 513.

Chez d'autres éditeurs

POURQUOI L'AMOUR EST UN PLAISIR. *L'évolution de la sexualité humaine*, Hachette littératures, 1999.

DANS LA COLLECTION FOLIO/HISTOIRE